TÉNÈBRE

暗黑

ÉDITIONS LA PEUPLADE
339b, rue Racine Est
Saguenay (Québec)
Canada G7H 1S8
www.lapeuplade.com

DISTRIBUTION POUR LE CANADA
Diffusion Dimedia

DIFFUSION ET DISTRIBUTION POUR L'EUROPE
CDE-SODIS

DÉPÔTS LÉGAUX
Bibliothèque et Archives
nationales du Québec, 2020
Bibliothèque et Archives
Canada, 2020

ISBN 978-2-924898-49-9

•

Les Éditions La Peuplade reconnaissent l'aide financière du gouvernement du Canada pour ses activités d'édition et remercient le Conseil des arts du Canada, la Société de développement des entreprises culturelles du Québec (SODEC) et le gouvernement du Québec, par l'entremise du Programme de crédit d'impôt pour l'édition de livres du Québec (gestion SODEC), du soutien accordé à son programme de publication.

TÉNÈBRE

Paul Kawczak

LA PEUPLADE **ROMAN**

À mon père

L'histoire a été *lingchéifiée*, c'est-à-dire tranchée et mutilée, comme des corps humains. La violence est aussi graduellement intériorisée, institutionnalisée, et dissimulée. Nous ne savons pas où nous sommes, ni ce qui est devant nous. Nous ne voyons pas la violence de l'histoire, et pas non plus celle de l'État. C'est pourquoi nous avons besoin de méditer les images de l'horreur et de nous en pénétrer. Le ténébreux abîme des blessures n'est-il pas l'épreuve même que nous devons franchir pour accéder à l'état de plein accomplissement et d'auto-abandon.

– CHEN CHIEH-JEN

On est donc porté à conclure que, de 1880 à 1930, environ 10 millions de Congolais – en tout cas, bien plus de 5 millions – auraient disparu, victimes de l'introduction de « la civilisation ».

– ISIDORE NDAYWEL È NZIEM

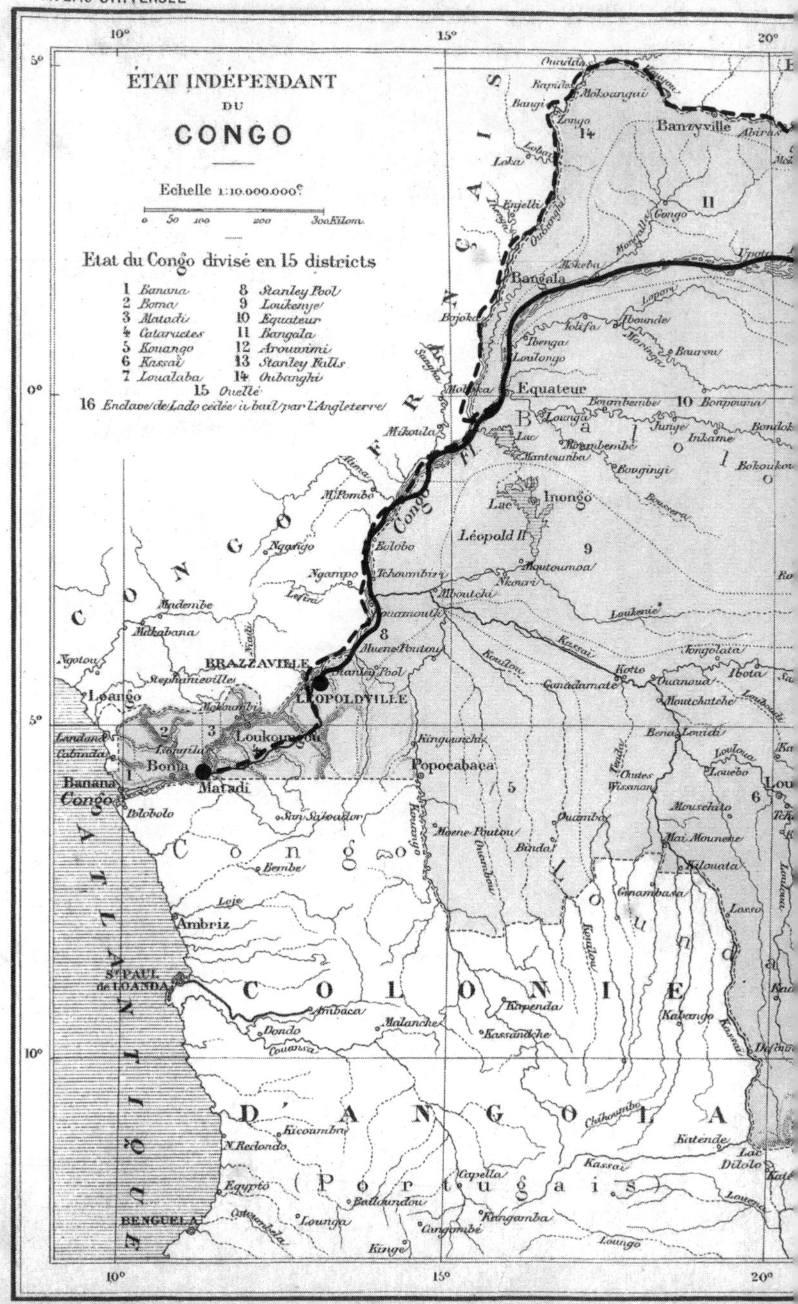

Dressée par R. Hausermann.

PREMIÈRE
EXPÉDITION CLAES

DEUXIÈME
EXPÉDITION CLAES

HARMONIE

Cette accumulation primitive joue dans
l'économie politique à peu près le même rôle
que le péché originel dans la théologie.

Le capital naît dégouttant de sang
et de boue des pieds à la tête.
– KARL MARX

À COUP DE CHICOTTE, Henri Morton Stanley achevait de tuer un homme. Un jeune porteur, quinze ans peut-être, un Bembe de Mindouli, recruté à Matadi. Pas le temps de comprendre. La peau douce partout éclatée. Les hautes herbes éclaboussées de cris, de larmes et de sang rose. Les chiens mirent un certain temps avant de relâcher les membres sveltes et inanimés. Le garçon avait eu plus peur d'eux que de la mort, les chiens l'avaient toujours effrayé. Le corps fut laissé là.

La caravane se remit en marche. Cinq-cent-soixante kilomètres environ – selon les estimations de Stanley – avaient été gagnés sur le mystère africain depuis le début de l'expédition. On imagine à peine quel degré de haine pouvait, en 1883, à la solde du roi des Belges Léopold II, motiver une telle progression d'hommes dans les jungles de l'Afrique équatoriale. Une haine blanche, malade, grelottante dans l'insupportable chaleur, fiévreuse, chiasseuse, cadavériquement maigre et exaspérée à la dernière extrémité par les insectes humides et criards. Une haine blanche assoiffée de pays qu'elle haïssait comme sa propre vie, qu'elle haïssait comme on aime, obscène et frissonnante d'excitation.

Stanley n'avait eu aucune raison particulière de tuer ce porteur. Stanley était un explorateur. Stanley avait retrouvé Livingstone. Stanley était un aventurier. Stanley était mondialement connu. Stanley était un monstre. Un minotaure creusant son labyrinthe, exigeant corps et terres à mesure que croissaient sa gloire et sa puissance. Le minotaure est le monstre d'un roi. Le roi est le monstre d'un monde. Le monde dévore ses enfants. Ainsi commença l'histoire de l'Occident. Ainsi s'achèvera-t-elle. En Afrique subsaharienne, dans les années 1880, les mugissements de haine de Stanley annonçaient aux hommes l'effondrement à venir et les morts par millions.

L'histoire qui suit n'est pas celle des victimes africaines de la colonisation. Celle-ci revient à leurs survivants. L'histoire qui suit est celle d'un suicide blanc dans un monde sans Christ ; celle d'un jeune homme oublié dans un labyrinthe de haine et d'aveuglement : l'histoire du démantèlement et de la mutilation de Pierre Claes.

PREMIÈRE EXPÉDITION CLAES

SEPTEMBRE 1890 – AVRIL 1891

« Adieu mon amour »

CE N'ÉTAIT NI MASON, NI DIXON, mais c'était tout de même un géomètre. La conférence de Berlin avait découpé l'Afrique en une parodie de la justice du roi Salomon, au goût de la férocité moderne. Or, en l'absence de la pitié d'une mère, les majestés occidentales tranchèrent à vif la chair ; ainsi faisait-on des terres africaines en 1885. Toutefois, une question pragmatique demeurait : comment arrêter, dans la réalité d'espaces immenses, les frontières d'un continent invisible à l'œil blanc ? La conférence de Berlin n'avait posé qu'un partage théorique des terres africaines, elle avait décidé des règles floues et voraces suivant lesquelles le continent serait mutilé.

Angleterre, France, Belgique, Italie, Portugal, Espagne, Allemagne se lancèrent sans réserve dans la dévoration. Hommes, femmes, plantes, bêtes, terres, eaux, sol, ciel, tout était bon à prendre à cet inconnu luxuriant. Toute une civilisation bourgeoise, mâle et malade, étouffée de production, exsangue d'action, faisandée de rêves en chaque crâne, se dépensa avec érotisme et violence dans un fantasme de terre femelle et primitive, de nouvelle Ève noire à violer dans la nuit blanche, sans relâche, la saignant de toutes ses richesses, bafouant sa tendresse de mère en criant la mort vide à sa face de déesse indolente. Des hommes féroces en remontèrent les fleuves, en traversèrent les déserts, les savanes et les forêts, et fatalement, se rencontrèrent.

Au printemps 1887, au niveau de la limite nord du tout nouvel État indépendant du Congo, propriété exclusive du roi des Belges, Léopold II, un détachement de la légion étrangère française chargé d'explorer les limites de l'Afrique-Équatoriale française rencontra les prémices d'une exploitation de caoutchouc belge. Chacun revendiqua le terrain comme appartenant à sa nation. Le ton monta. Les légionnaires, fébriles et hallucinés, ouvrirent le feu. Onze civils belges et vingt-trois indigènes furent tués. Quelques mois plus tard, un accident similaire fit quatorze morts du côté de la frontière soudanaise, un autre l'année suivante coûta six vies au même endroit, et un autre encore, un peu plus tard, à la frontière nord, en vit finir huit.

Les richesses du Congo avaient été particulièrement convoitées durant le processus qui avait mené à la conférence de Berlin, et la France et l'Angleterre étaient prêtes à jouer de toutes les ambiguïtés de la jungle pour tenter de repousser un peu plus les frontières en leur faveur, quitte à entraîner la Belgique dans un conflit armé et local qu'elle avait peu de chances de remporter. L'Europe à cette époque cherchait déjà l'anéantissement qu'elle trouverait un quart de siècle plus tard sur son propre territoire. Toutefois, ni la France ni l'Angleterre ne souhaitaient ouvertement déclencher un conflit. Léopold II le savait et fit le choix de jouer le jeu de la légitimité. La frontière nord, incertaine, pouvait devenir source de discorde ; il n'y avait qu'une chose à faire : la matérialiser, puis en dessiner le tracé exact une bonne fois pour toutes sur des cartes détaillées et précises. L'un des instigateurs principaux de la conférence de Berlin et des violences coloniales en cette époque d'appétits avides et mesquins, Léopold II, certes suivant des considérations stratégiques, prit alors une décision n'impliquant directement ni armes ni argent, ne faisant appel ni à ses amis banquiers ni à son état-major, et eut plutôt l'idée raisonnable – laquelle, dit-on, lui avait été suggérée par sa femme, Marie-Henriette de Habsbourg-Lorraine, archiduchesse d'Autriche et princesse palatine de Hongrie ; femme fraîche, vive, passionnée d'équitation au point de dispenser elle-même des soins aux chevaux du palais impérial – de faire appel aux savoirs d'un géomètre.

Ce n'étaient pas les célèbres Mason et Dixon donc, disions-nous, ceux-là même qui avaient, au siècle précédent, établi les frontières du Maryland avec le Delaware et la Pennsylvanie, mais c'était tout de même un géomètre. Et un excellent géomètre, extrêmement prometteur, tout du moins selon les dires de ses maîtres et collègues de la Société des géomètres de Belgique d'Anvers. Pierre Claes, natif de Bruges qui n'avait pas alors trente ans, de langue maternelle flamande mais parlant parfaitement le français – n'était-ce une surprenante pointe d'accent méridional, véritablement surprenante chez cet homme qui n'était jamais allé dans le sud –, fut chargé, à la suite des tensions territoriales envenimant les relations de la Belgique avec ses voisins coloniaux, d'établir précisément, à même le terrain, parmi les indigènes et les bêtes féroces, une partie de la limite nord de l'État indépendant du Congo et de la reporter avec exactitude sur les cartes officielles. Là où de bourgeois conquérants aux barbes augustes et odorantes avaient, d'un trait droit et pressé, sur une carte fixé le destin d'un pays, Pierre Claes devait matérialiser, à même les terres sauvages, comme tombé du ciel, le tracé exact de ce que l'Europe nommait alors le *progrès*.

•

Pierre Claes quitta l'Europe à Anvers le 10 janvier 1890 à bord du paquebot anglais le *Victoria*. La préparation scientifique et logistique de la mission avait duré six mois, un minimum pour qui s'aventurait en profondeur dans ce que l'opinion belge nommait alors le Congo-Minotaure. Or si, comme tout le monde à l'époque, le jeune géomètre se rendait bien compte que moins d'hommes revenaient d'Afrique qu'il n'en partait, jamais il n'eût pu prendre la mesure exacte des chiffres de la mortalité du fonctionnariat belge dans les colonies tant ceux-ci étaient strictement tus. Le règlement pour le personnel de l'État indépendant du Congo stipulait, à l'article 4, que les agents s'engageaient à ne rien divulguer concernant les affaires de l'État à quiconque n'appartenait pas au système administratif. Pierre Claes ne savait ainsi pas qu'en 1890, le taux de mortalité des agents territoriaux en poste au Congo était de un pour trois, sans compter les handicaps majeurs, et parfois définitifs, qu'entrainaient les maladies équatoriales. En bon agent de l'État, il s'était avant tout concentré sur la bonne réussite de sa mission, fier d'aller au-devant de l'Aventure, qu'il imaginait piquante et belle comme dans les livres anglais qu'il avait avidement lus de quinze à vingt ans. Il quittait son pays sans mélancolie, gonflé, même, d'un léger orgueil. Il croyait au projet civilisateur de son pays, il croyait en sa jeunesse, en son roi, et le temps, ce jour-là, était au beau fixe. Comment penser, à cet âge, que le bleu du ciel puisse mentir ? Il était absolument confiant de revenir.

•

En ce temps, les cartes du *continent noir* étaient blanches, encore à tracer. Cette étendue immaculée sur les planisphères, la plus grande, qui faisait rêver les petits garçons, épuisait les hommes dans ses forêts obscures et révélait toute la cruauté de leur cœur. Ce point aveugle des cartes était le point aveugle de l'âme. Peut-être, au centre du fleuve, sur un petit vapeur aux mains d'un capitaine étranger, pouvait-on être assez loin de la folie croupissante des terres pour préserver son esprit. Mais la mission de Pierre Claes le conduirait régulièrement à terre.

•

Après une courte escale à Southampton, le *Victoria* prit le large vers l'Afrique.

Longtemps, les côtes européennes s'éloignèrent.

Pierre Claes ne les reverrait jamais.

LE *VICTORIA* ENTRA DANS LE PORT de Matadi le 20 mars 1890. Si les passagers avaient eu le temps à bord de s'habituer progressivement au climat équatorial, ils ressentirent un choc au contact de l'air chaud qui écrasait les terres. Les bagages lourds étaient envoyés à des entrepôts particuliers de telle sorte que les arrivants n'avaient pas à s'en soucier immédiatement. Frappés par le fourmillement noir des quais de bois, passagers et passagères franchissaient avec hésitation la passerelle de débarquement, les uns après les autres, par groupes timides, ébahis par ces corps noirs qu'ils ne connaissaient qu'à peine et qui marchaient, couraient, parlaient, criaient, regardaient autrement et pourtant étaient, cela se voyait au premier coup d'œil – certains avaient espéré que ce ne fût pas le cas –, indéniablement humains. Jamais, autant qu'à ce premier regard, ces Blancs n'éprouveraient, avec une telle acuité, la fraternité et la sororité fondamentales qui les liaient à ceux et celles qu'ils nommaient *nègres* et *négresses*. Ils auraient vite fait de les chosifier et de les haïr. Ceux qui descendaient la passerelle le pressentaient. Sur la passerelle, ils avaient peur.

•

Des petits coches tirés par des bœufs et pouvant transporter jusqu'à huit personnes à la fois sur les chemins cahoteux du port attendaient non loin des quais.

Chose relativement rare encore au Congo d'alors, Pierre Claes, à bord de l'un d'eux, prit place aux côtés d'une femme blanche. C'était une jeune Écossaise, originaire de Saint Andrews. Elle arrivait au Congo avec son fiancé. Celui-ci restait encore près du bateau, pour s'assurer du bon débarquement de leurs bagages. Il la rejoindrait au presbytère où ils logeraient pour quelques jours. Ils partiraient ensuite à Léopoldville, puis au centre du pays, pour y fonder une communauté religieuse. Son fiancé était prêtre anglican. Il avait acheté et fait défricher un terrain à l'intérieur des terres. Par correspondance. Quelques habitations rudimentaires les y attendaient. Ils se marieraient à Léopoldville. Le voyage de noces consisterait en un périple de quarante kilomètres dans la jungle à dos de taureau.

— Est-ce vrai ce que l'on dit, que les femmes blanches deviennent stériles sous les climats équatoriaux ? avait-elle demandé à Pierre Claes dans un français hésitant.

Le géomètre l'avait rassurée, plusieurs enfants étaient déjà nés de femmes blanches au Congo. Elle pourrait donner une lignée solide à son époux. La banane, abondante au Congo, constituait un aliment parfait du point de vue de la ration alimentaire et offrirait à ses enfants tout ce dont ils auraient besoin. Sans compter le lait des Noires que l'on disait particulièrement riche en protéines.

— Et vous, monsieur, attendez-vous également une jeune épouse d'Europe ?

Claes releva l'étrange façon que la jeune fille avait de fixer ses interlocuteurs dans les yeux.

— Non, mademoiselle, je suis en mission pour le roi...

Il descendit du coche avant elle, les bureaux de l'administration coloniale de l'État indépendant du Congo étant plus proches que la mission presbytérienne de Matadi où elle se rendait. Il se promit de rendre visite au couple, sa mission menée à terme. Il aurait du prestige. Il la courtiserait peut-être.

•

Pierre Claes ne resta qu'une quinzaine de jours à Matadi. Il eût pu rester plus longtemps, aux frais du roi, mais son matériel expédié vers Léopoldville, il ne vit aucune raison de s'éterniser. Il y avait une certaine fébrilité pour un jeune homme obéissant et sans expérience véritable à se trouver sur le seuil de l'Aventure. Autant valait-il mieux en pénétrer les terres immédiatement. Et que cesse cette excitation angoissée.

Une seule figure l'avait marqué à Matadi, parmi les fonctionnaires blancs et autres agents coloniaux plutôt fades. Hermann von Wissmann, de nationalité allemande, avait travaillé pour le compte de Léopold II de 1884 à 1886. Pierre Claes avait entendu parler de lui à Bruxelles. Von Wissmann avait participé à l'exploration de la rivière Kasaï, permettant ainsi d'en exploiter la navigabilité. Il régnait une légende autour de cet homme, qui avait été nommé Reichskommissar de l'Afrique-Orientale allemande et qui avait traversé l'Afrique d'est en ouest, un exploit à l'époque dont peu de Blancs pouvaient se vanter. De petite taille, prématurément vieilli par ses aventures, on lui eût donné une soixantaine d'années alors qu'il n'en avait pas cinquante. Il avait ramené de ses voyages une guenon du nom de Lily qu'il habillait en garçon et du visage de laquelle le sien partageait les traits tirés de fatigue. Il passait des heures en sa compagnie – chacun imitant les tics nerveux de l'autre – sur la grande terrasse de style colonial du Café Léopold. Ce petit homme affaissé devant un thé tiède avait la réputation d'être un officier impitoyable. Il n'avait toléré aucune opposition à la progression européenne en Afrique. Il avait fait incendier plusieurs villages et exécuter de nombreux indigènes. Des rumeurs couraient qu'il faisait couper et sécher les organes génitaux mâles des Noirs pour les réduire en poudre et les boire avec son thé dans le but de s'emparer de leur légendaire vigueur sexuelle. À mi-voix, tard le soir, à Matadi, il se disait que l'homme était un détraqué sexuel, qu'il avait violé plus d'une centaine de fillettes noires, qu'il en avait égorgé certaines et qu'il couchait désormais avec sa guenon Lily, la prenant dans des positions contre-nature. Ces rumeurs fascinaient

Claes. Jamais il n'avait vu un fauve humain de près. Aussi fut-il tout ému quand, dans un flamand impeccable, von Wissmann le héla un jour pour l'inviter à se joindre à lui et Lily. En explorateur novice, le géomètre avait demandé conseil au maître.

— Découvrir l'Afrique, jeune homme, c'est découvrir son cœur... Le déparer des habits, de la peau, des muscles et des côtes... Et le regarder pulsant dans son petit trou obscène... Vous saurez, les pieds dans la boue et le sang, ce qu'il vous reste à faire... Le seul conseil que j'ai à vous donner est de ne pas, alors, perdre courage...

Pierre Claes avait été ébloui par l'énergie incroyable qui émanait de von Wissmann en dépit de la rougeur de ses yeux humides. Il se promit de ne jamais faiblir. Il coucha avec une indigène pour la première fois ce soir-là. Il eut le choix entre plusieurs. Il n'osa pas choisir la plus jeune.

Deux semaines après le départ de Claes, à la table à laquelle il avait convié le géomètre, von Wissmann tira une balle dans la tête de Lily. Il partit le lendemain pour l'Allemagne, où il fut reçu en héros national.

•

Le voyage de Matadi à Léopoldville fut relativement rapide - deux semaines - et confortable. Ceci était dû, entre autres - et Pierre Claes ne s'en doutait alors pas -, à von Wissmann. Confronté aux difficultés que les chevaux ont à progresser en terrain sablonneux, von Wissmann avait emprunté aux colonies portugaises l'usage du taureau de selle, usage qu'il avait répandu au Congo. Le taureau-cheval utilisé par les Portugais était court de jambe, trapu et fortement musclé. Si l'on exceptait le ridicule qu'il pouvait y avoir, pour un agent en uniforme, à chevaucher une créature pas plus grande qu'un poney, le recours à ces animaux au pas lent et agréablement régulier était d'une aide précieuse chaque fois qu'il fallait passer par la terre ferme – comme c'était le cas entre Matadi et Léopoldville, étant donné la vigueur du Congo à l'approche de son embouchure, tout en cataractes qui le rendaient non navigable. Von Wissmann n'était par ailleurs pas non plus étranger à la mise en service des steamers que devait emprunter le jeune géomètre sur les fleuves africains. À l'issue de ses premières expéditions, l'africaniste allemand – ainsi était-il nommé par la presse belge – avait longuement bataillé pour faire adopter par ses compatriotes l'usage de ces petits navires passe-partout bien plus efficaces en terrain équatorial que toutes les armées modernes du monde. La Société belge du Haut-Congo, quant à elle, n'avait pas eu besoin d'être convaincue, à peine avait-elle eu vent des recommandations de von Wissmann qu'elle s'empressa d'expédier à Matadi une dizaine de bateaux à vapeur. On put lire, très vite, à Bruxelles, que c'était :

> faire œuvre de civilisation dans le sens le plus élevé du mot que de favoriser l'essor du commerce honnête et la fin de l'esclavagisme brutal par la création de moyens de transports perfectionnés sur les grandes voies d'eau du centre de l'Afrique,

ce dont, entres autres généralités de ce type, Claes s'entretint avec quelques-uns de ses compatriotes, également perchés sur un paisible taureau nain au museau baveux et confiants en leur mission civilisatrice, chacun ébloui à sa manière par l'incroyable flore africaine qui chantait sous leurs yeux des hymnes d'amour et de larmes.

Pierre Claes atteignit Léopoldville le 4 juin 1890. Il avait eu le temps de contracter la malaria. Trois porteurs bantous étaient morts durant le trajet, un chiffre légèrement au-dessous de la moyenne enregistrée alors par l'administration coloniale.

ORIGINAIRE DE LA PROVINCE du Guangdong, Xi Xiao était bourreau de formation. À l'époque de notre histoire, un bourreau chinois se devait, en sus de posséder un certain sens de la poésie qui n'aurait pas déplu à certains des poètes symbolistes qui officiaient alors en Belgique et en France, de maîtriser la chirurgie, l'acupuncture et l'art du tatouage.

Il est possible, moyennant un patient apprentissage, de dépouiller un homme de la plupart de ses organes tout en conservant sa vie et sa conscience. Tel était l'art des bourreaux de Chine. Certains hommes puissants qui se savaient condamnés par la maladie choisissaient parfois de remettre leur corps entre les mains d'un maître bourreau pour une mort exquise. Le patient entièrement nu était d'abord rasé de la tête aux pieds, puis l'officiant, suivant les règles d'un procédé que l'Occident pratique grossièrement sur ses bœufs, moutons et chevaux, tatouait sur le corps glabre le tracé complexe d'un dessin selon lequel il inciserait la chair. Un tatouage de maître pouvait prendre jusqu'à une semaine pour être réalisé. Chaque jour, le corps sacrifié se couvrait des lignes qui régleraient son démantèlement. Selon ce dessin complexe, et à l'aide de l'acupuncture, il était alors possible de vider l'homme de son corps, en en altérant minimalement l'âme. Les bourreaux les plus adroits, dont Xi Xiao était, parvenaient à retirer la quasi-intégralité des organes d'un homme sans le tuer ni l'endormir ni même le faire particulièrement souffrir, ne laissant à l'air libre et intact, disait-on, que le cerveau, le lobe d'un poumon et le cœur.

À cette époque, un géomètre marquait la terre mais scrutait le ciel. Les frontières idéales se matérialisaient à partir des étoiles dont l'apparente fixité était encore l'aune de l'absolu pour les hommes. Pierre Claes, par de savants calculs, abaisserait sur Terre les étoiles, au sol, et de leur majesté ne resterait que le tracé invisible d'un pouvoir arbitraire : là passerait la frontière. Claes réduirait l'infini en politique. Il allait être, pour cela, aidé des services d'un homme qui ne connaissait ni le nom de Thalès ni celui de Pythagore, mais dont le dévouement ne trouvait sur Terre aucune comparaison : Xi Xiao aimerait le géomètre d'amour.

•

Pierre Claes rencontra Xi Xiao à Léopoldville. Xi Xiao, qui y menait alors une vie d'homme à tout faire, bénéficiant malgré la couleur de sa peau d'une surprenante considération, lui avait été recommandé comme factotum par le capitaine d'Ardembourg. Ce dernier, le premier contact de Pierre Claes avec l'administration coloniale de Léopoldville, lui avait marqué l'importance de s'attacher sur place un homme sûr et endurant auquel il pourrait déléguer les menues mais si importantes tâches du quotidien professionnel et personnel d'un homme blanc dans la jungle. C'est en ces termes, un sourire aux lèvres, qu'Ardembourg lui avait fait part de sa suggestion. En somme, cet homme déjà d'une autre époque, d'une certaine élégance vieillotte, en donnant au jeune géomètre le nom de Xi Xiao, ne lui avait recommandé ni plus ni moins qu'un valet. On peut s'interroger sur le choix étrange de désigner à Pierre Claes un Asiatique parlant à peine le français. Ardembourg, réputé comme un officier bienveillant et cocasse, ne manquait pas de fantaisie. Lecteur de romans de toutes sortes, amateur de rêveries à large spectre – ce qui l'avait, d'ailleurs, conduit au Congo –, n'ayant délaissé aucun des *Voyages extraordinaires* de Jules Verne, le vieux capitaine avait-il vu dans l'image de ce Chinois attaché à son maître belge jusqu'au cœur de la jungle le début prometteur d'un roman d'aventures ? Pierre Claes, garçon au racisme commun, ouvert aux charmes de l'Extrême-Orient que lui avaient vantés diverses revues coloniales et quelques poètes, bons et mauvais, avait immédiatement été séduit par l'idée d'Ardembourg.

•

Xi Xiao, en juin 1890, se trouvait à Léopoldville en raison du même phénomène topologique et hydrologique qui avait contraint Pierre Claes à effectuer son premier voyage sur le continent africain à dos de taureau nain et non sur le pont d'un petit steamer : les cataractes de trois-cents kilomètres qui rendaient toute navigation impossible de Matadi à Léopoldville. Le portage, le seul moyen alors pour transporter des marchandises de l'intérieur des terres à la côte et inversement, était trop coûteux en temps et en hommes pour rendre le commerce colonial viable à long terme. Il fut entrepris de construire une voie ferrée rejoignant les deux villes, tâche herculéenne qui devait coûter pas loin de deux-mille vies africaines. Or, avant de se résigner à recruter la main-d'œuvre locale, la Compagnie du chemin de fer du Congo était convaincue que les populations indigènes étaient bien plus utiles employées au portage et à la récolte du caoutchouc qu'à la construction d'une voie ferrée. L'exemple de l'Amérique du Nord avait par ailleurs démontré que *les races asiatiques*, qui avaient la réputation d'être *des ouvriers sobres et intelligents*, excellaient dans la pose de rails. Aussi, après négociations, un contingent de cinq-cent-vingt-neuf *coolies* pour l'essentiel chinois et recrutés à Macao fut débarqué à Matadi un matin de novembre 1889. Parmi ces cinq-cent-vingt-neuf âmes figurait un nommé Xi Xiao, bourreau de son métier et qui avait quitté sa respectable position pour tenter l'aventure africaine. Quelles raisons avaient poussé cet homme de condition, maître d'un art respecté en son pays, à se lancer dans l'horreur coloniale ? Nous ne le saurons certainement jamais. Le passé chinois de ce personnage est plus qu'obscur et nous n'avons d'autre choix que de nous résigner à admettre que les forces qui réglaient son destin nous dépassent. Toujours est-il que quelques jours seulement après leur arrivée, les ouvriers chinois entamèrent les travaux dans des conditions équivalentes à celles des bagnes guyanais. On put lire l'année suivante dans un article du *Congo illustré* intitulé « Les Chinois au Congo » :

> Malheureusement, il faut croire que, chez ces hommes d'aspect chétif, de petite taille, la force et la réserve de santé n'étaient pas suffisantes pour résister aux rudes labeurs à exécuter dans la région difficile de Palaballa, puisque, d'après les dernières nouvelles, de nombreux décès ont malheureusement dû être enregistrés parmi le contingent chinois. On ne tardera pas à savoir, de façon définitive, s'il faut considérer comme impossible l'utilisation des Chinois sur les travaux du chemin de fer.

La réponse à cette question vint en effet assez vite puisque au bout de vingt semaines à peine l'essentiel des ouvriers Chinois étaient décédés. Il fut proposé aux survivants d'être rapatriés. Tous acceptèrent à l'exception d'un seul, Xi Xiao, qui décida de tenter sa chance à Léopoldville. Personne ne comprit alors ce qui poussait cet homme doux et travailleur à demeurer ainsi loin de son pays. Arrivé en ville, Xi Xiao, homme aux talents multiples, parvint très rapidement à s'intégrer autant à la population coloniale qu'africaine. Il était l'homme de deux mondes.

•

Xi Xiao tatouait un marin néerlandais du nom de Viktor dans un café improvisé de Léopoldville quand Pierre Claes le trouva sur les indications d'Ardembourg. Sur l'épaule du garçon à peine âgé de vingt ans, il achevait le tracé d'un lion halluciné et vert auquel le matelot disait attribuer des propriétés alchimiques. Pierre Claes patientait quelques tables plus loin, s'occupant d'un journal défraîchi, distrait par l'odeur du haschisch que fumait le marin. L'affaire terminée, le tatoueur et le tatoué s'entretinrent encore quelques minutes dans un sabir local, puis le marin s'éloigna. Xi Xiao leva les yeux et vit le géomètre.

Alors le monde en son silence s'évasa, révélant l'abîme entre les êtres dont le fond n'est autre que la mort. Rien de moins, dirait un cynique farceur. Cela est tout, répondrait un lecteur ou une lectrice de romans. Et Xi Xiao connut que sa vie n'avait de précieux que son amour pour Pierre Claes.

Xi Xiao fut amoureux de Pierre Claes.

Au-delà de tout ce qu'il eût pu dire ou faire, de tout ce qu'il eût pu être, l'existence de ce jeune Belge qui l'inviterait à abaisser les étoiles scellait l'accélération de la sienne. Xi Xiao connut l'amour immense dans le souffle moite et brûlant de l'après-midi débilitant, dans un café-bordel minable à presque dix-mille kilomètres de son lieu de naissance. Il n'en montra rien et la pluie africaine tomba. Sa peau pleura pour lui, en sueur, en secret. Ils discutèrent longuement, en une langue improvisée, toute faite de gestes et de regards. Xiao répondit positivement à l'offre de Claes. Il avait été, dans sa jeunesse, formé à l'astronomie et pourrait être d'une aide précieuse. Il retrouverait Claes dès le lendemain. Les deux hommes, qui s'étaient compris sans parler la même langue, se serrèrent la main, nouant ainsi leurs destinées. Pierre Claes s'en revint satisfait.

Xi Xiao s'enferma dans la nuit.

•

Le géomètre et le bourreau se revirent régulièrement pour préparer l'expédition. Ils parvenaient étrangement à se comprendre, dialoguant avec leurs corps et les quelques mots qu'ils avaient en commun. Claes s'attacha très vite à ce petit homme sans âge, étonnamment distinct de tous les autres. Ennuyé, naïf, rêveur, correctement raciste, le géomètre était charmé par les récits de Xi Xiao. Celui-ci contait volontiers, par fragments mimés, des épisodes rocambolesques de sa vie africaine. Il n'en donnait toutefois ni les origines ni le dénouement, les conservant comme des morceaux flottants dont un habile tissage formerait éventuellement le corps de son histoire. Xi Xiao le regardait dans les yeux, et Pierre Claes se demandait s'il saurait être, lui, cet habile tisseur. Homme de chiffres, sans expérience réelle de la littérature si ce n'est celle des romans d'aventures, Pierre Claes s'enchantait de ces récits que Xi Xiao lui prodiguait comme des caresses.

•

La frontière ouest de l'État indépendant du Congo correspondait au fleuve Congo, se traçant d'elle-même selon la rage paisible et indifférente du cours d'eau, de Léopoldville aux environs d'Équateurville – aussi appelée Équateur sur certaines cartes et qui sera rebaptisée Coquilhatville après la mort de son fondateur Camille-Aimé Coquilhat. D'Équateurville ou plus précisément de Liranga, la frontière suivait la rivière Ubangi. Montant au nord, puis tournant subitement vers l'est, elle devenait frontière nord, et abandonnait plus loin l'Ubangi pour suivre la Mbomou. Là commençait le véritable travail de Pierre Claes, car la Mbomou remontée atteignait sa source et la frontière ne pouvait plus compter sur le tracé de la rivière pour assurer le sien. Passé la source de la Mbomou, non loin de Bambouti, Léopold II devait se fier aux étoiles pour affirmer l'étendue de son emprise sur le territoire africain. La mission de Pierre Claes était donc fluviale dans sa première partie. Fluviale et sanguine, presque septicémique, pénétrant le continent par les vaisseaux de son sang pour y propager son infection. Le géomètre devait remonter le Congo puis l'Ubangi, et remonter en pirogue la Mbomou, qui n'était pas navigable, dans le but d'effectuer une première inspection officielle de l'état topologique et ethnologique des frontières jusqu'à la source de la rivière. Arrivé là, il abaisserait sur les terres et criardes les étoiles de son ciel et la volonté de son souverain. C'était une affaire de détails. L'Afrique était déjà mutilée, mais il fallait décider, tracer et enregistrer chaque kilomètre de frontière afin d'apaiser les tensions territoriales dont les voisins français et britanniques souhaitaient profiter pour envenimer une situation à leur avantage. L'expédition était prévue pour une durée de dix à quinze mois. Claes n'avait quitté la Belgique qu'à deux occasions auparavant, une fois pour une conférence de mathématiques à Cologne, l'autre pour visiter un ami d'enfance à Calais.

LE CORPS FUT DÉPOSÉ sur l'un des petits quais de bois de Léopoldville. Le jeune homme était mort depuis trois jours, et de la dépouille drapée émanait une âcre odeur de violette. Au moment de sa mort, sur le vapeur le *Roi des Belges* qui le ramenait d'urgence vers la civilisation, Georges-Antoine Klein ne pesait plus que trente-sept kilogrammes. La dysenterie l'avait littéralement asséché. Le corps aurait dû être enterré le jour même de sa mort, il aurait fallu s'en départir au plus vite, quitte à le jeter dans un trou de boue, mais Klein était le cadet de l'un des actionnaires les plus importants de la Société belge du Haut-Congo. En le confiant au second du capitaine - le capitaine étant en train lui aussi de mourir de dysenterie - du bateau qui devait le ramener des chutes Stanley à Léopoldville, son collègue et ami Vanderdorpe avait très fortement insisté sur ce point.

— En cas de décès, il est très important de conserver le corps... Vous comprenez ? Absolument et en dépit de tout... Ce gamin est précieux mort ou vivant... Des agents le prendront en charge à Léopoldville... Vous recevrez une indemnité... Pas de corps pas d'argent !

Bien sûr, le corps s'était mis très vite à gonfler et à empester l'ordure. Le capitaine du bateau avait alors, en promettant une prime conséquente, demandé à ses hommes de lui percer les intestins, puis de l'inciser de haut en bas et de large en long. Il avait ordonné la cueillette de fruits et de plantes acides dont les sucs et les jus seraient aspergés sur la charogne naissante, noyant ainsi la mort. La décomposition avait pu être endiguée. Le corps, étroitement serré dans la jute, était devenu une viande raffinée, exquise et rare. À peine déchargé du bateau, il fut saisi par deux Bantous employés de la Société belge du Haut-Congo et déposé dans une charrette attelée à un poney galeux à l'odeur de sucre. En chantant, les deux hommes le menèrent en direction de l'hôpital européen du docteur Dryepondt.

•

Né à Paris une vingtaine d'années plus tôt, ayant passé une partie de sa jeunesse en Afrique et engagé comme agent commercial par la Société belge du Haut-Congo, Georges-Antoine Klein était parti de Liverpool le 26 décembre 1888, accompagné de Vanderdorpe. Klein père, qui se trouvait alors à Léopoldville, avait mandaté ce dernier pour surveiller son jeune fils. Le départ avait été publicisé dans *Le Mouvement géographique* du même mois :

> MM. Klein et Vanderdorpe, au service de la Société Belge du Haut-Congo, s'embarquent à Liverpool sur le bateau qui quitte ce port directement pour le Congo, le 26 courant...

Deux numéros suivants on pouvait lire :

> *Le Cameroon*, venant de Liverpool, a jeté l'ancre le 15 février devant Boma, emmenant un certain nombre d'Agents de l'État et MM. Klein et Vander Borre[1], agents de la Société Belge du Haut-Congo.

Puis encore, un mois plus tard :

> Klein et Vandenborre sont arrivés en bonne santé à Léopoldville.

Un peu plus d'un an de silence et *Le Mouvement géographique* du mois de juillet 1890 apprenait à ses lecteurs que « M. Klein a pris la direction de l'établissement des Falls ». Le journal ne mentionnait plus ni Vander Borre, Vandenborre ou Vanderdorpe, qui pourtant veillait encore fidèlement sur le jeune Klein.

Ce que n'avait pas non plus dit *Le Mouvement géographique* est que la route de Léopoldville aux chutes Stanley avait été particulièrement pénible. L'un des fonctionnaires avec qui Klein voyageait était mort d'insolation. L'homme s'était plaint de violents maux de têtes, puis avait cessé net de transpirer et sa peau avait séché jusqu'à craqueler. Il fut déposé, sanguinolent, au premier

---

1. Le nom avait été cette fois mal orthographié, désinvolture, peut-être, des rédacteurs francophones vis-à-vis des noms flamands. Nous verrons comment cette légère imprécision onomastique trouve son importance dans notre histoire...

poste commercial rencontré où Klein apprit le lendemain qu'il était mort. Il en fut particulièrement affecté en dépit du stoïcisme qu'il s'était promis d'adopter pour son entrée dans la vie d'homme. La présence familière et bienveillante de Vanderdorpe lui permit toutefois de ne pas céder à la morosité générale qui s'empara des passagers du *Florida* sur lequel ils remontaient le Congo.

Plus vieux, de l'âge de Klein père, Vanderdorpe avait déjà beaucoup voyagé en Afrique équatoriale. Pionnier aguerri à l'intérieur des terres africaines, il avait participé à certaines des célèbres expéditions de Savorgnan de Brazza. La nuit, en proie aux insectes, imperturbable, il se contentait d'allumer de petits cigares, savourant les délices d'un plaisir sec tandis qu'autour de lui le monde succombait à la déliquescence générale. Alors, aux yeux de Klein, qui ne le voyait que partiellement, dans les intermittences de la lueur de sa braise, Vanderdorpe semblait un héros de roman, d'autrefois et de maintenant, un Perceval, un Gauvain, un Lancelot, un Galaad, un Vautrin, un Valjean, un Dantès, un Athos. Un homme d'airain et de fer, de cape et de gloire, un aventurier enveloppé de courage et de nuit, solitaire et silencieux. Loin de Paris, prisonnier d'une jungle infernale, garçon sur les sentiers de la vie d'homme, Georges-Antoine Klein, qui avait toutes les raisons de pleurer le soir, tout près de Vanderdorpe, goûtait une quiète sécurité.

•

Deux mois plus tard, Vanderdorpe confiait le jeune Klein mourant au capitaine du bateau qui devait le ramener à Léopoldville. Klein père avait été très clair à ce sujet : en cas de maladie de son fils, Vanderdorpe serait automatiquement relevé de ses fonctions d'adjoint et de surveillant pour prendre la relève du poste de Georges-Antoine. Le caoutchouc ne pouvait attendre. La production du site atteignait chaque mois un régime record et on ne pouvait en aucun cas se passer de direction. Vanderdorpe ne devait quitter les Falls sous aucun prétexte.

Debout sur le ponton de bois qui servait de port à l'exploitation, Vanderdorpe regardait partir le petit vapeur que le fleuve emportait vers l'ouest. Le sort de Klein était désormais entre les mains du second du navire, ce marin polonais au regard polaire dont il n'avait pas retenu le nom. Le ciel était bas. Des singes hurlaient. Vanderdorpe prit la direction des bâtiments administratifs de l'exploitation. Non loin, un agent colonial et deux travailleurs africains s'agitaient, à la recherche d'une grosse vipère aperçue un peu plus tôt dans un tas de bois.

Le jour allait se lever et Vanderdorpe fumait toujours. Il n'avait pas dormi de la nuit. À vrai dire, il ne s'était pas même couché. Il avait passé et repassé en boucle dans sa tête les images de la veille. Le corps anéanti et mourant de Georges-Antoine dangereusement ballotté au-dessus de l'eau par les indigènes qui le hissaient difficilement sur le pont du vapeur. L'indifférence de l'équipage à qui était confié le jeune Klein et qui le considérait avec la même impassibilité qu'il avait considéré la viande d'hippopotame séchée que l'on avait ensuite chargée à bord. Et les yeux du petit, vivants de terreur dans ce corps déjà mort et qui eût crié pour appeler sa mère s'il en eût eu la force. Deux yeux clairs, ronds ouverts sur l'horreur, effroyablement seuls et qui, sans cérémonie, quittaient à jamais la terre pour embarquer sur ce fleuve des Enfers où ils allaient s'éteindre. Georges-Antoine Klein, jeune fonctionnaire belge, se noyant dans la mort, dans les excréments et le sang, sans même pouvoir battre des bras en guise de rage ou d'adieu, sombrant dans les jungles liquides et bouillantes de l'Afrique noire, alors même que des milliers d'autres, aussi coupables que lui, s'agitaient dans une entreprise générale de néant, de suicide et de meurtre, en laquelle ils vivraient et, peut-être, trouveraient leur salut. Mais peut-être allait-il vivre ? On en avait vu d'autres, que l'on donnait pour morts, s'en sortir, et même revenir, à la surprise de tous, reprendre leur poste, retrouver le jeu des primes et des promotions, et raconter, soir après soir, que désormais ils n'avaient plus peur. Vanderdorpe repensa au capitaine à l'accent si marqué, d'origine polonaise indubitablement, lui seul avait semblé encore humain dans ce monde perdu. Il avait même salué les travailleurs noirs qui attendaient pour l'amarrer. Vanderdorpe ralluma sa pipe et revit une fois de plus la scène de l'embarquement du malade. Les yeux de Klein luirent de nouveau devant lui.

•

Vanderdorpe embarqua à l'aube sur un bateau français qui descendait vers la côte. Il n'aurait pas de paix avant d'avoir retrouvé le jeune Klein, mort ou vivant, et parlé à cet étrange petit Polonais dont le regard le hantait.

UN MATIN DE SEPTEMBRE 1890, l'expédition Claes quitta Léopoldville avec la mission d'inciser un continent.

À son arrivée à Léopoldville, Pierre Claes avait été fort affecté par les symptômes de la malaria. Les fièvres, les vertiges et les diarrhées intarissables avaient considérablement ralenti, dans les premières semaines, la préparation de son expédition. Toutefois, Pierre Claes avait fini par prendre du mieux. Son corps s'adaptait, se faisait à l'Afrique, il avait beaucoup maigri, la maladie avait emporté le superflu et cette idiote idée d'aise physique dans laquelle grandissaient les Européens, comme si la gelée de ses nerfs avait fondu. Pierre Claes avait physiquement et psychiquement rétréci pour survivre ; il n'avait toutefois rien perdu à cette diminution. Le départ eut finalement lieu.

Les premières journées sur le Congo avaient été calmes. Affermi en son nouvel être, accoudé à la rambarde de bois du vapeur, le géomètre regardait les rives herbeuses et leurs miracles ornithologiques défiler devant lui. Le sifflet du navire retentit. À une centaine de mètres un autre steamer descendait le fleuve, en direction de Léopoldville. Claes agita les bras avec fierté. Peut-être eût-il été moins enthousiaste ayant su que les cales de ce navire abritaient le corps d'un jeune homme comme lui, européen également et tout juste mort des fièvres équatoriales aux mains d'un Polonais au regard polaire.

Le *Fleur de Bruges* était un steamer de la première génération de ceux qui avaient été jetés sur les lacs et les hauts cours d'eau de l'Afrique équatoriale au milieu des années 1880 par la Société belge du Haut-Congo. Bâties sur des armatures de bois initialement conçues pour la navigation européenne, les coques de ces petits vapeurs se fragilisaient rapidement. Il fallut une dizaine d'années aux différents ingénieurs des administrations coloniales pour s'inspirer des savoir-faire locaux et mettre à profit d'autres bois, notamment le lomeba, bien plus adaptés à la navigation africaine. En 1890, l'expédition Claes naviguait sur un navire craquant de toutes parts et plus que vulnérable face aux nombreux troncs d'arbres, hauts-fonds, hippopotames et autres pièges que recélait le fleuve à l'abri de ses fureurs.

Le capitaine du *Fleur de Bruges*, en ce temps, était un Danois à l'âge incertain que balafrait une cicatrice en forme de B sur la joue droite, et dont on apprenait, par l'entremise du français approximatif tout mâtiné de danois et de néerlandais qui sortait de sa bouche, qu'il s'était engagé comme capitaine de steamer sur le Congo à la suite de déboires amoureux et militaires. Mads Madsen en était là de l'histoire de ses amours, qu'il racontait volontiers au cours de chacun de ses voyages et qui pouvait facilement s'étirer sur trois semaines, voire un mois s'il lui venait l'envie – et la nécessité durant les trop longs voyages – d'épiloguer, lorsqu'il aperçut depuis la cabine de pilotage un groupe d'hippopotames se diriger de façon déterminée et agressive vers son navire. Il en fit part à son auditoire, qui se résumait alors à Pierre Claes, absorbé dans quelque rêverie érotique, et un chimpanzé domestique dont l'origine de la présence sur le navire n'avait pas encore été véritablement éclaircie. Pierre Claes, tout à son indolence fluviale et rêveuse dont il peinait à s'émanciper, mit un certain temps à réaliser non seulement que la situation était bel et bien dangereuse – et non pas uniquement exotique –, mais également qu'il lui revenait de prendre une décision en tant que meneur de l'expédition. Les bêtes, au nombre de cinq, galopaient sur les hauts-fonds du fleuve, réapparaissant par intermittence à la surface, chaque fois un peu plus proches et plus hostiles. Brusques et puissants, comme agissant depuis un autre monde, les hippopotames avaient décidé de s'en prendre à ce parasite de bois et de métal qui fendait la perfection de leur éternité d'eau et de boue. Avaient-ils conscience de courir droit à leur mort ? Claes en eut la fugace impression, réalisant en un infime instant, alors qu'il ordonnait à ses hommes d'armer leurs fusils de chasse, que ces animaux agissaient peut-être moins par atavisme que par désespoir. Il n'eut toutefois pas le temps de s'interroger sur la nature de ce désespoir de bête, et encore moins celui de se demander s'il pouvait être le sien. Les coups de feu retentirent et les bêtes blessées partirent à la dérive en hurlant.

Claes se réjouit intérieurement de ce que personne ne pouvait entendre les battements accélérés de son cœur, ni goûter l'acidité électrique de l'adrénaline qui inondait son sang. Ses mains tremblaient, mais il avait agi en chef, comme il revenait à un homme blanc et éduqué de le faire. Il n'eut toutefois pas le loisir de savourer longuement cette satisfaction. Une violente secousse fit vibrer le bateau de fond en comble, suivie de trois coups de feu. Une des bêtes s'était réfugiée sous la coque d'où elle avait tenté une ultime attaque avant d'être abattue. Des porteurs pygmées demandèrent l'autorisation de récupérer son corps prisonnier de la roue à aubes afin de préparer des réserves de viande séchée. *Pol Kassè ! Pol Kassè !* hurla Mads Madsen. Des pales de la roue étaient effectivement cassées. S'il était possible de poursuivre jusqu'à Équateurville, il serait ensuite nécessaire de les changer pour poursuivre l'expédition.

•

Le *Fleur de Bruges* accosta péniblement le long des berges boueuses qui servaient de quai à la station d'Équateurville. Les dernières soixante-dix heures avaient été particulièrement éprouvantes pour Claes et son équipage. La progression du vapeur avait été excessivement ralentie par le bris de la roue à aubes – pas plus de trois kilomètres par heure en moyenne –, au point de voir le petit navire s'immobiliser de longues minutes sur le fleuve, prisonnier de courants contraires. Il avait fallu pousser la chaudière au-delà de ses limites, ce dont s'était occupé avec brio un jeune mécanicien woyo du nom de Mpanzu, originaire de l'ouest du Congo. Mpanzu, au coût d'un terrible épuisement et d'une sudation épouvantable, avait réussi à maintenir le niveau de pression de la vapeur juste au-dessous du point de brisure, seule façon de progresser dans ces conditions. Des pêcheurs locaux étaient venus approvisionner le steamer en bois, de telle façon qu'il n'eût pas à s'arrêter pour constituer de nouvelles réserves. Au bout d'une douzaine d'heures à naviguer ainsi, on s'était aperçu que le bateau prenait l'eau. Le heurt violent provoqué par l'attaque suicide du dernier hippopotame avait descellé en un endroit plusieurs des rivets qui maintenaient la coque de métal à l'armature de bois. L'équipage dut se relayer jour et nuit pour écoper. Ne pouvant plus réellement arrêter le *Fleur de Bruges*, Madsen et Claes avaient fait le choix risqué de naviguer de nuit, à la clarté lunaire, s'exposant au danger accru d'une collision avec un arbre flottant. Personne à bord – pas même le chimpanzé, solidaire de l'équipage – n'avait pu prendre en tout plus d'une dizaine d'heures de mauvais sommeil, aussi chacun fut-il soulagé d'une certaine façon d'apprendre que les seuls rivets disponibles pour réparer le steamer devaient être livrés par bateau de Léopoldville et que l'expédition Claes ne pourrait pas reprendre sa route avant au moins cinq semaines. Cinq semaines d'oisiveté imposée aux frais de sa majesté Léopold II avant de pénétrer les labyrinthes de la jungle.

La station d'Équateurville consistait à cette époque en deux grandes paillotes perpendiculaires l'une à l'autre à quelques dizaines de mètres d'une marina improvisée sur les berges d'un coude fluvial au courant amoindri. Claes fut immédiatement marqué par la hauteur à laquelle le drapeau de l'État indépendant du Congo avait été élevé au-dessus des bâtiments. Composé d'une étoile jaune sur fond bleu amiral, le drapeau, qu'il connaissait bien, lui évoqua l'Étoile polaire dont il avait eu à calculer régulièrement l'azimut astronomique dans l'exercice de sa profession. Il eut, un instant alors, le sentiment d'une pureté, d'un ailleurs véritable, quelque chose de l'enfance peut-être, d'une sexualité sans pouvoir, toute faite de larmes tombées du ciel, bleues comme le givre qui rafraîchiraient l'air brûlant et moite du Congo continental. Claes pensa à Bruges, sa ville natale. Une pensée comme un pétale, douce et sans mots.

Un aboiement le sortit de sa rêverie. Deux chiens jaunes célébraient l'arrivée des voyageurs, précédant à la course un agent de la station qui s'en venait à leur rencontre. Claes réalisa qu'il n'avait pas caressé de chien depuis des mois. Il réalisa également qu'il tremblait. Il sentit alors le goût de la fièvre dans sa bouche et demanda un endroit à l'ombre pour s'allonger.

IL ÉTAIT PRÈS DE DEUX HEURES DU MATIN. En proie à une panique suffocante, Vanderdorpe frappa aux portes de l'hôpital européen du docteur Dryepondt, l'un des rares portiques en fer de Léopoldville. Il avait appris, ayant débarqué un peu plus tôt dans la soirée, la mort de Klein fils. Il avait pensé pouvoir attendre le lendemain pour voir le corps; il s'était violemment trompé. Une angoisse sans source s'était soudainement emparée de lui tandis qu'il rejoignait les bureaux de la Société belge du Haut-Congo. Dès lors, chaque seconde sans voir le corps du petit Klein lui imposait, en une chute vertigineuse, un degré supplémentaire de mal-être.

Pas un bruit derrière l'huis sombre et épais, insensible aux requêtes de l'homme.

— Ouvrez ! Ouvrez !

Vanderdorpe secouait les battants comme si cela devait le sauver de la mort. Il finit par entendre des pas de l'autre côté. En un grondement de gonds endormis, un missionnaire ébouriffé ouvrit.

— Le corps du jeune Français, je dois le voir, vite !

Klein momifié reposait sur une table de bois noir. Vanderdorpe l'embrassa comme un amant. Il lui baisa le front, caressant la peau de cuir desséché. Il parlait vite, il s'adressait au corps. Le missionnaire eut la décence de les laisser seuls. Vanderdorpe s'endormit allongé aux côtés de Klein. Sa main dans la sienne.

Lorsque le docteur Dryepondt, averti dès l'aube, se rendit à la morgue, Vanderdorpe était déjà parti.

Il avait peut-être dormi quatre heures, enlacé au petit corps, mais son sommeil lui avait paru durer une vie. Il avait rêvé de Bruges, de son ancienne vie, un quart de siècle plus tôt. Du bourdonnement des cloches du beffroi dans la lumière européenne. De la basilique du Saint-Sang. De Thomas Brel, de Manon Blanche et du fils qu'il avait adopté pour l'abandonner presque aussitôt. Les étoiles le transperçaient, traversant le toit de l'hôpital et le sol de terre battue qui abritait la morgue souterraine. Il pleurait doucement et Klein le consolait, l'appelant *Père*, *Papa*, lui disant de suivre les étoiles pour le retrouver, vivant et éternel. Vanderdorpe se réveilla bouleversé et plus déterminé que jamais à retrouver le marin polonais aux yeux étoilés. Il inspira une longue bouffée du tabac froid qui dormait au creux de sa pipe et s'élança vers le port, ragaillardi d'une intensité nouvelle.

Il se rendit d'un pas rapide aux bureaux de la Société belge du Haut-Congo. Là, il n'eut aucune difficulté à obtenir l'identité du capitaine du *Roi des Belges*. Il se nommait Józef Teodor Konrad Korzeniowski, était natif de l'empire de Russie et naviguait sur le Congo depuis moins de six mois. Il venait de repartir pour Équateurville, où il devait livrer d'urgence une cargaison de rivets pour la réparation d'un navire, le *Fleur de Bruges*.

— Le *Fleur de Bruges* ?

— Oui le *Fleur de Bruges*, qui amène l'expédition Claes vers le nord...

— Claes ?

— Pierre Claes... Le géomètre mandaté par le roi pour fixer la frontière nord... Il vient de quitter Léopoldville...

Pierre Claes. À ce nom, Vanderdorpe eut un léger vertige. La température dans les bureaux de la Société avoisinait les trente-cinq degrés. Il demanda de l'eau.

— Bien sûr, monsieur Van der Borre...

— Vanderdorpe !

Vanderdorpe attendit encore une semaine avant de pouvoir embarquer pour Équateurville. À ce rythme-là, il allait définitivement manquer le Polonais aux yeux d'étoile polaire.

XI XIAO S'ÉTAIT RÉVÉLÉ, dès les premiers jours de l'expédition, être un assistant indispensable. Sans parler véritablement aucune langue autre que son dialecte natal et le mandarin, il semblait les parler toutes. Comme si de chaque langue il connaissait assez de vocabulaire pour le compléter par celui d'une autre dont il était l'inventeur, toute de signes intuitifs, douce et universelle. Il pouvait établir un contact amical avec n'importe quels homme ou femme issus de n'importe quelle ethnie du bassin du Congo. S'il avait fallu définir Xi Xiao par un seul mot, cela aurait été celui de « caresse ». Et caressante était la langue naturelle et improvisée qu'il employait en presque toutes circonstances. Cet homme, qui avait pour métier de donner la mort avec la plus grande habileté, possédait l'art de susciter à coup sûr un frémissement de plaisir en chacune des chairs qu'il rencontrait. En quelques jours à peine, la présence de Xi Xiao était devenue l'élément sensible qui conférait à l'expédition sa cohésion miraculeuse en dépit de l'inexpérience de son chef et de l'hétérogénéité de son équipage. Ce petit homme potelé aux jambes courtes, à l'odeur si douce et confortable, resterait, quoi qu'il arrive, la dernière garantie d'humanité au sein de cette entreprise brutale. Or, Xi Xiao devinait l'avenir. Ce fait extraordinaire fut attesté par de nombreuses personnes l'ayant connu, attestations que l'on retrouve même en plusieurs témoignages écrits, dans *Le Congo illustré*, *Le Mouvement géographique* ou encore les *Lettres illustrées* du lieutenant Masuy. Une sensibilité aiguisée à l'extrême servait à Xi Xiao, à l'instar d'un troisième œil de vérité, de révélateur instantané du fond de chaque situation et, le plus souvent, du devenir de celle-ci. La découpe des corps lui servait également de mancie; il y avait lu depuis sa jeune initiation la prolifération des lignes de son devenir. Il avait toujours su qu'il irait en Afrique. Il savait quelle œuvre de mort était la colonisation, il était conscient de l'échec humain auquel elle était vouée. Le fiasco moral, amoureux et physique de l'expédition Claes était pour lui connu de longue date. Son extrême sensibilité ne l'aveuglait aucunement sur son propre malheur, dont il connaissait chacun des piliers sur lesquels reposait son histoire à venir. Il accomplissait sa destinée qui était d'aimer Pierre Claes avec la totale certitude que celui-ci l'aimerait d'amour et, pourtant, il n'était plus une seconde, depuis qu'il avait vu le géomètre pour la première fois, qui n'était pas pour lui hantée d'une souffrance irréductible, rivetée à sa chair en une domination inexpugnable. Xi Xiao connaissait le jour et l'heure exacts de sa mort, qui seraient à la minute près les mêmes que ceux du géomètre.

•

Engoncé dans la clarté de ses visions, Xi Xiao tatouait Mpanzu, tous deux installés à l'ombre d'un bananier, sur les berges boueuses du poste de traite d'Équateurville.

Le Chinois et le Woyo avaient vite développé une complicité artistique dépassant la simple connivence qui unit deux compagnons de voyage. Mpanzu arborait plusieurs tatouages tribaux qui fascinaient le maître tatoueur qu'était Xi Xiao. Très rapidement, les deux s'étaient mis à échanger sur leurs traditions graphiques respectives. Mpanzu, durant ces longues heures calmes dans l'air indolent de l'intérieur des terres, avait longuement détaillé non seulement les différents arts bantous du tatouage permanent, avec ou sans relief, par incision, par irritation, par l'association des deux techniques, mais également ceux du tatouage éphémère, pratiqué avec de l'argile blanche, du charbon de bois, du bois rouge réduit en poudre ou les pétales de certaines fleurs relativement communes à quelques régions du bassin du Congo. Xi Xiao apprenait avec émerveillement que certaines des capricieuses arabesques qui ornaient le corps du jeune Woyo résultaient de longues et minutieuses techniques, dont la réalisation pouvait prendre plusieurs années. Mpanzu ne portait pas seulement des tatouages de la tradition woyo, mais également de celles de chacun des peuples dont il avait croisé, sur son chemin d'aventure, un tatoueur ou une tatoueuse. Il possédait ainsi, d'un sorcier bangala rencontré l'année précédente, trois lignes en forme de feuilles liant l'oreille à l'œil du côté droit du visage, ornement qui faisait sa plus grande fierté. Mpanzu, qui avait rompu avec sa famille et son peuple – rupture dont il taisait les raisons –, était avide de se couvrir autant que possible de marques étrangères. Il prétendait ainsi devenir chacun et chacune. Il possédait plusieurs tatouages exclusivement réservés aux femmes parmi lesquels l'un d'eux était si réussi, dit-il en le montrant à Xi Xiao, qu'il pouvait être fécondé. Le Chinois lui offrit de lui faire un tatouage de son pays et inscrivit de manière indélébile sur son bas-ventre un mystérieux dessin selon lequel, disait-il, il était possible, si l'on était muni d'une lame suffisamment fine, d'inciser la peau et les muscles sans douleur ni sang. Ainsi, si Mpanzu était fécondé, il n'aurait pas de risque à tomber enceinte, son enfant pourrait être accouché par le ventre. Mpanzu en fut émerveillé.

Les rayons frais d'un jeune soleil s'écoulaient en cascades sur les larges feuilles du bananier. Xi Xiao achevait, disions-nous, de tatouer Mpanzu lorsqu'on vint l'avertir que Pierre Claes était subitement tombé très malade. Xi Xiao ne fut pas surpris. Il avait toujours su que les choses se passeraient ainsi.

•

Durant les semaines précédentes, entre deux accès de fièvre, Pierre Claes avait dignement tenu son rôle de chef d'expédition. Il avait réussi à dominer ses larmes, à serrer les différentes mains blanches qui lui étaient tendues avec énergie et fermeté, le regard soutenu en un léger défi, droit dans les yeux de ses interlocuteurs. Il était parvenu, même s'il n'en avait qu'une envie très théorique, à coucher de façon régulière – tous les cinq à six jours – avec de jeunes prostituées locales. Claes, qui à Bruxelles avait toujours ressenti devant ses semblables masculins une légère inquiétude, un sentiment d'infériorité, une culpabilité secrète, et qui n'avait, en son intimité, jamais compris véritablement ce que c'était que d'être un homme, mâle et sans larmes, avait retrouvé, en terres congolaises, un semblant de confiance en soi et d'entregent viril. Il avait même, pour la première fois de sa vie, éjaculé dans la bouche d'une femme, ce qu'il s'était toujours jusque-là interdit, se sentant irréductiblement sale et se refusant à ajouter un jet de semence à l'ignominie qu'il était certain d'infliger – et qu'il infligeait tout de même, comme une infraction, un abus selon son désir roi – à ses partenaires sexuelles, presque toujours des prostituées. Parfois, pendant l'orgasme, il aurait voulu s'enfoncer un peu plus loin encore dans ce mal qu'il percevait au cœur de sa vie, comme il enfonçait, à ce moment-là, son sexe frémissant dans la gorge achetée.

Chaque matin, le géomètre prenait la peine de se raser, de se peigner et de se parfumer, de paraître maître de son corps et de son esprit. Il plaisantait même, avec un tel ou un tel, en hommes qui se reconnaissent comme camarades de responsabilités, de figures de pères à qui incombe la tâche quotidienne de régler le monde et sa nature, s'appelant *mon vieux !*, se rappelant l'un à l'autre l'Europe, ses anecdotes. Claes, au Congo encore plus qu'ailleurs, devait être mâle parmi les mâles, aussi trouva-t-il bienvenue l'invitation de Charles Lemaire, commissaire du district de l'Équateur à venir, à l'occasion d'une réception privée, se présenter à la *bonne société* d'Équateurville.

Arrivé aux abords de la paillote de Lemaire, Pierre Claes vit les mains. Sept mains alignées au sol. Fraîchement tranchées. Le sang, les mouches et, pourtant encore, l'odeur de la vie portée par la chaleur de l'après-midi que n'avait pas encore corrompu une putréfaction inévitable désormais. Un instant, Claes eut la vision de sept étranges crabes tout juste pêchés. Sauf qu'il ne s'agissait pas de crabes, quelque chose dans la disposition des chairs l'indiquait immédiatement, tirant en l'être le signal d'alarme strident d'une angoisse atavique. Devant la bâtisse de terre, des soldats nettoyaient leurs armes, fumant par longues bouffées. Un capitaine feuilletait un vieux numéro du *Patriote*. Un soldat indigène attira le regard du géomètre. Il n'avait pas quinze ans et frottait sans conviction une pâte liquide rougeâtre qui s'écoulait le long d'un sabre d'aspect ancien. Une arme périmée, émoussée, napoléonienne peut-être et recyclée sur le continent africain. Le garçon salua Pierre Claes. Celui-ci accéléra le pas et rejoignit le commissaire qui lui fit un accueil cordial.

Au cours de la soirée, Pierre Claes apprit que six des mains – toutes des droites, il ne l'avait pas remarqué – appartenaient à six éléments perturbateurs qui avaient, lui assura-t-on, refusé de rapporter au commissaire le quota hebdomadaire de caoutchouc. C'est le lieutenant Léon Fiévez qui avait suggéré l'idée pour augmenter la production. Et ça fonctionnait ! Les nègres ne comprenaient que ça. Et de toute façon, pour ce qu'ils en faisaient, de leurs mains... D'ailleurs, la septième main appartenait à un garçon qu'un soldat avait tiré pour une affaire de vol. Afin de réglementer l'usage des cartouches de fusil et de limiter le braconnage, la main droite de chaque indigène abattu devait être coupée et apportée au commissaire du district, accompagnée de la douille de la balle qui avait été tirée. Chaque possesseur d'un fusil devait rendre compte de chacune de ses victimes, qu'elle soit animale ou humaine. Plus tard, Claes entendit de la bouche d'un agent ivre que le jeune homme, un Nkundu originaire du Kasaï, n'avait jamais rien volé, qu'il n'était pas mort mais qu'on lui avait pris sa main, tranchée à vif, afin de couvrir le braconnage d'un immense pangolin qui avait été tué le matin même. Claes qui était lui-même passablement gris fit mine de rire aux éclats, ce qui plut énormément et excita plusieurs convives. La femme d'un officier dit qu'elle était déçue que ce ne fût pas le sexe qu'on coupât plutôt que la main, car il paraissait, assura-t-elle en un geste obscène, presque violent, que les nègres en avaient de *fabuleuses*. Tout le monde rit. Pierre Claes plus fort que les autres.

Au milieu de la nuit, il ne restait qu'une poignée d'invités, fortement intoxiqués par la fièvre, le haschisch et l'alcool. On annonça l'arrivée de prostituées bruxelloises, à Équateurville depuis quelques semaines aux frais de la Société anversoise du commerce au Congo. Des petits culs blancs pour rappeler le bon goût du Pays ! Pierre Claes, qui venait de vomir, le prit au mot, entraina l'une des jeunes femmes dans un boudoir improvisé de terre et de paille, et lui lécha le cul et le con. Il voulut ensuite lui montrer les mains coupées, mais ne les retrouva plus. Il rentra se coucher.

•

Claes ne se leva ni le lendemain de ces désordres ni le surlendemain, jour où Xi Xiao fut appelé à son chevet. Le géomètre avait été saisi d'angoisses mauvaises et débordantes, dissolvant son monde comme un acide mordant. Sa vie, psychique et physique, ses rêves, son agitation, tout cela ne lui était plus apparu que comme une vanité triste, un pénible gâchis pour lequel il perdait tout intérêt, une expérience sans issue. Une anxiété aiguë l'avilissait, comme à la veille d'une exécution. Il avait basculé en une nuit. Un enfant en enfer, se répétait-il en grelotant. La peur coulait dans ses veines, froide, froide, froide. Il se recroquevillait dans sa couche. La peur sourdait de ses pores, inondant les draps de fièvre et d'obsessions. Glaçant, cassant sa vie. Jusque dans les os. La réalité réalisée. L'angoisse. L'abandon. Jamais autant de mort, la rage d'une dent, d'un corps. Le mauvais goût de l'existence. Un abattement suffisant à anéantir tout projet de suicide. Le sommeil était encore plus souffrant, prisonnier d'un autre monde, plus implacable encore et plus méchant. Il revoyait sa mère, il se revoyait enfant. Son père. Comment toute lumière avait-elle pu mourir ? Comme si le bleu du ciel ne pourrait, n'avait jamais pu, être bleu, aucun matin, aucun repos. Et chacune des joies passées, innocente parfois, était noyée dans les larmes, un chat dans un sac, la peur giflait la dépouille, souillée sans retour. C'est impossible, c'est impossible... Il ne pouvait le croire, autant de tristesse. De la mélancolie à en vomir. Chaque inspiration tuait ce qui avait été bon, chaque expiration étouffait ce qu'il aimait. Rien à faire, la fièvre seulement, à délirer à l'extrême pointe de la douleur, un corps misérable, frissonnant. Jamais Pierre Claes n'avait senti aussi proche la présence obscène de la mort, réelle, ici, là, maintenant, vraie, il allait bien finir par mourir de soif dans cette couchette dégueulasse. Intolérable, impossible, présente, l'unique solution. Il paniquait. Se tournait de nouveau sous la moustiquaire. De nouveau se recroquevillait.

Xi Xiao ouvrit la porte de la case du géomètre, s'approcha du lit, prit une des mains du malade et de l'autre lui caressa le front, puis la nuque et les épaules, descendant, en de douces pressions, le long du corps anéanti. Il murmura une chanson. Une langue inconnue. D'un geste simple, il prit la main de Claes. Il le consola longtemps.

•

Officiellement, Pierre Claes avait été terrassé par un accès de paludisme. Il resta alité une semaine, au cours de laquelle seul Xi Xiao était autorisé à le voir. Il le veilla en continu. Du jour au lendemain, Xi Xiao rompit tout contact avec le reste de l'expédition pour se consacrer au géomètre. Mpanzu, dont le tatouage n'avait pu être terminé, prit ombrage de ce changement soudain d'attitude, se sentant brusquement délaissé. Il venait marcher, s'asseoir parfois, avec ou sans prétexte, près de la case de Claes, de laquelle il écoutait le mystérieux silence. Il s'en voulait d'avoir offert son amitié à ces étrangers. Il était noir ; eux non. Cela lui apparut une barrière infranchissable. Observant les autres travailleurs noirs, il se trouvait toutefois chanceux. Il n'avait pas, comme la plupart d'entre eux, à s'épuiser chaque jour en vain sous la menace d'une arme ou la promesse d'une pacotille. Machiniste du *Fleur de Bruges* pour l'expédition Claes, il bénéficiait d'un traitement de faveur de la part des autres Blancs, jouissant essentiellement de leur indifférence, d'une certaine liberté.

Ami de tous les peuples, il n'était l'esclave d'aucun. Il aurait très bien pu quitter Équateurville et poursuivre son chemin d'aventurier, mais le tatouage inachevé avait laissé en lui une sensation trouble et absorbante qui le maintenait attaché malgré lui à Xi Xiao et à l'expédition Claes. Son esprit ne saurait être calme tant que le tatouage demeurerait incomplet. Au travers des remous de ce qui, lentement, devenait une douleur, il commençait à entrevoir le tracé de sa destinée. Pour la première fois depuis qu'il avait entrepris de sillonner le monde, il envisagea de mourir jeune.

•

Claes réapparut effroyablement maigre à l'issue de sa maladie. Il paraissait vieilli d'une quinzaine d'années et son regard s'était fait plus clair, plus bleu, trouble et imprévisible. Le lendemain, Jósef Teodor Konrad Korzeniowski accostait au quai du poste de traite d'Équateurville, la cale pleine de rivets neufs. Claes l'accueillit d'une poignée de main ferme.

EN CRACHANT DANS LES EAUX TROUBLES du fleuve Congo, Vanderdorpe pensait à Manon Blanche. Il pensait à l'Europe, aux années d'avant, à sa jeunesse. Il avait honte.

Il l'avait vue pour la dernière fois le 19 juillet 1870, à la terrasse d'un café quelconque, alors que Paris s'excitait à mesure que la nouvelle de la déclaration de guerre se propageait avec vacarme dans les rues populeuses. Vanderdorpe, exaspéré par l'indifférence affichée de Manon Blanche, lui avait dit qu'il irait se faire tuer par les balles prussiennes, et tant pis s'il n'était même pas français. Elle l'avait à peine écouté. Il se rappelait qu'elle transpirait ce jour-là. Il était peut-être quatorze heures et il pouvait sentir son odeur. Ils n'avaient presque plus rien à se dire. Elle lui avait annoncé qu'elle partait rejoindre Andrew Collins à Londres, le lendemain. Vanderdorpe avait tout simplement pleuré. Comme cela, devant Manon Blanche, sous le regard indifférent des clients affairés et nerveux de ce café quelconque. Vanderdorpe avait pleuré comme un enfant qui vient de perdre à un jeu. Parce que la vie était injuste, que tout bêtement, sans raison précise, il venait de tout perdre et que se liquéfiait en ce début d'après-midi, en ce début de guerre, ce qu'il lui restait de mensonge et d'avenir. Paris, le café, la chaleur de juillet, la foule, les chants patriotiques, l'ombre des platanes sur les vieux bâtiments, rien n'avait de sens, pas plus que les quatre années d'errance qu'il venait de perdre à vouloir aimer

Manon Blanche. Vanderdorpe avait été saisi au ventre. Il n'en revenait tout simplement pas qu'il existât un homme sur terre, de nationalité anglaise, plus jeune que lui, du nom d'Andrew Collins, résidant à Londres, qui pût recevoir les secrets de Manon Blanche, qui pût se réveiller auprès de sa bouche mi-close, auprès du reste de ses nuits, et partager les secrets de son talent. Un homme sur terre existait qui pût recevoir les gémissements de cette garçonne et cet homme n'était pas lui. Pas lui. Pas lui qui pour elle avait abandonné à Bruxelles Camille Claes et son fils. Vanderdorpe pleurait encore quand Manon Blanche se leva et partit. Sans au revoir. Il releva la tête, et la vit disparaître à jamais dans la foule belliqueuse, à l'ombre des platanes. On entonna *La Marseillaise*.

Il cracha de nouveau dans le Congo.

•

Vanderdorpe avait dû attendre deux semaines avant de pouvoir embarquer pour Équateurville où il espérait rattraper Józef Teodor Konrad Korzeniowski et l'expédition Claes. La mort de Klein fils n'aurait pas été en vain s'il pouvait arriver à temps. Depuis la nuit à la morgue, les souvenirs des années parisiennes ne cessaient de revenir, agités et douloureux. L'attente leur avait été favorable et rien de sa tristesse, découvrait-il, n'avait été guéri. L'aventure et l'Afrique ne lui avaient permis que de la tenir momentanément à distance. L'Afrique avait été pour lui le suicide du lâche, une cure incomplète et bien insatisfaisante.

Vanderdorpe pensait moins souvent à Camille Claes. Il la revoyait en rêve parfois, mais toujours de façon vaporeuse. Il se rappelait sa gentillesse, sa voix fluette, sa grande sensibilité religieuse. Elle avait quitté Bruges pour lui, pour le suivre à Bruxelles, où l'appelait sa carrière de médecin. Elle avait été magnifique. Elle portait de l'or sur la tête. Et peut-être plus de tendresse encore que la Vierge dans les yeux. Ils auraient pu être heureux si ce n'avaient été sa propre inquiétude et son désir de destruction.

À tout dire, il aurait été heureux si n'avait été Manon Blanche, venue à Bruxelles au mois de mai 1866 pour y rencontrer quelques poètes avec lesquels elle était en correspondance. Elle avait dix-sept ans. Il l'avait aperçue une ou deux fois d'abord, à l'occasion de mondanités auxquelles sa qualité de notable de la ville le conviait. Il lui était arrivé d'aider financièrement quelques figures de la bohème locale et il jouissait d'une bonne considération dans certains milieux artistiques. Il était à son aise parmi les poètes et les peintres, qu'il fréquentait régulièrement. Il avait entendu parler de Manon Blanche. Rapidement, il eut l'occasion de lui parler, sans que cela ne suscite en lui d'angoisses particulières. Puis, un soir, il fut ébloui. Il lui avait adressé la parole, une fois de plus. Au sujet d'une connaissance commune. Il n'en conservait qu'un souvenir flou. Il avait en tête l'image d'un grain de beauté qu'il avait remarqué sur son bras et qui contrastait avec la pâleur de sa peau. Il se rappelait s'être fait la remarque que la jeune fille souffrait peut-être d'anémie et de constipation en raison de la blancheur de son teint et des plaques rouges qu'il pouvait observer sous ses yeux. Alors, son monde bascula. Manon Blanche venait de s'incarner. Il avait allumé une cigarette. La suite de la soirée échappait à sa mémoire, comme si elle était restée gravée dans les chairs et avait fui les mots. Lui qui ne buvait jamais s'était senti ivre à en perdre conscience. Il avait passé le reste de la soirée sous le choc de ces yeux verts cernés de noir, des yeux étonnamment grands et si profonds qu'il lui avait semblé qu'ils encageaient l'image de son émoi, prisonnier de leur féminité souriante. Il était désormais définitivement, absolument et absurdement convaincu que jamais il ne rencontrerait d'être plus intelligent et plus beau, et que la tendresse qu'il supposait à cette jeune personne, qu'il pensait avoir devinée derrière ce visage que dix-sept années à peine avaient façonné, lui revenait comme le présent que les Siècles lui offraient en hommage à sa misère humaine. Manon Blanche était sa Grâce, Manon Blanche lui était due. Il tremblait de ne pas l'obtenir. Au même titre qu'un dieu jaloux eût pu refuser la prédestination au plus pieux des hommes, Manon Blanche pouvait à l'avenir lui refuser chacune de ses lèvres. Il les voyait, lui et elle, à une hauteur démesurée, éloignés l'un de l'autre, en équilibre sur un fil peu tendu duquel toute chute, si elle ne se faisait main dans la main, le perdrait à jamais. Il frémissait de vertige à l'idée même des mains de Manon, à l'idée qu'elles pussent le précipiter dans le vide, frissonnant de leur tendresse et de leur désir. Il souhaitait l'aimer au-delà de tout, se mettre à ses pieds, réclamer son passé. Il se voyait lui lécher les dents, embrasser son nez parfait, humer son front et peut-être, plus bas, sentir l'odeur de son urine à même sa peau. Il se voyait mourir, tout simplement. Il avait oublié Camille Claes.

•

Manon Blanche écrivait. Manon Blanche était prodigieuse. À quinze ans, sa plaquette sobrement intitulée *Tulipes* lui avait gagné le respect de plusieurs poètes de renom. Elle avait été à Bruxelles l'une des rares personnes admises au chevet de Charles Baudelaire, alité à la suite d'une attaque d'hémiplégie. Il se disait qu'elle avait été invitée chez les Hugo, eux aussi alors exilés à Bruxelles. Elle s'affirmait poète et défiait le monde vers lequel elle s'élançait. Elle était jeune, elle était femme, et elle faisait peur tant elle brillait d'indépendance et de génie. Plusieurs jaloux auraient souhaité trouver des défauts à son style, et peut-être y en avait-il, mais il était impossible de ne pas lui reconnaître un talent d'écriture débordant et véritable. Manon Blanche serait indéniablement de ceux et celles qui défricheraient les voies modernes de la poésie, c'est ce que Baudelaire lui avait péniblement articulé lors de sa courte visite. Enfin, et cela achevait de détruire l'ancien monde autour d'elle, Manon Blanche avait de l'esprit et savait être drôle.

— Pensez-vous qu'elle soit encore vierge ? avait demandé Armand Ruymbeck.

Vanderdorpe se sentit défaillir. La pensée qu'il pût être trop tard lui glaça le sang. Son ami Ruymbeck, lui, ne semblait pas le moins du monde perturbé par l'éclat de la poète parisienne qui éblouissait la bonne société bruxelloise. Une actrice lui tournait déjà la tête ; Manon Blanche l'intéressait avant tout pour ses talents poétiques. Il projetait d'écrire un article sur elle, retraçant les premières années de ce parcours précoce. L'émoi qu'elle suscitait chez Vanderdorpe ne lui avait toutefois pas échappé. Ce dernier restait silencieux.

— Je m'excuse, mon ami... Je ne voulais pas manquer de délicatesse envers vous... Si vous voulez mon conseil, déclarez-vous au plus tôt... Il faut percer l'abcès... Le médecin que vous êtes doit bien le savoir...

— Cela se voit donc tant ?

— Cela ne se voit que trop... Agissez avant que je ne vous perde...

Ruymbeck serra longuement la main de son ami. Ce fut là une des dernières éclaircies dans la vie de Vanderdorpe.

Soudain, sur le pont, un jeune Noir cria quelque chose en lingala en pointant du doigt au loin. Sur le rivage, à une cinquantaine de mètres du petit vapeur, un buffle nain avait été surpris par un crocodile et se débattait pour sa vie.

•

Vanderdorpe n'eut pas le courage de déclarer son amour à Manon Blanche. Sa vie, pendant les quelques semaines que celle-ci passa à Bruxelles, s'était emplie d'inquiétude. Inquiétude de ne pas la voir, de ne pas être là où elle était. Inquiétude aussi de finir par dévoiler son jeu, de sembler toujours la rencontrer au hasard des sorties de chacun. Vanderdorpe, heureusement, avait lu abondamment et connaissait les poètes latins. Il avait réussi au gré de ces rencontres à intéresser Manon Blanche à une discussion littéraire qu'elle semblait toujours reprendre avec plaisir. Il avait découvert là une prise sensible. L'intellect bouillonnant de la jeune femme était avide de conversations solides d'autant plus que le milieu littéraire bruxellois, en certains de ses salons que dominait le noir mat des tenues bourgeoises à la mode, pouvait parfois sembler d'une vacuité morne, sans réelle profondeur artistique, tout d'égo et de fictions personnelles, sans inventivité, désolant, en somme, pour un jeune esprit en éveil. Elle et lui avaient développé cette habitude d'y ménager, pour eux seuls, un temps de conversation, un temps d'intelligence. Ils parlaient de littérature pour passer l'ennui de mondanités assommantes, aux côtés de fenêtres ouvertes sur les soirs du printemps belge. Vanderdorpe était émerveillé. Jamais, toutefois, il n'avait osé lui donner rendez-vous. Leurs rencontres dépendaient toujours d'un événement plus large, d'une coïncidence bienvenue, et reposaient sur cet accord tacite qui s'était établi entre eux et qu'il craignait d'outrepasser. Nullement encore ces discussions n'avaient signifié de véritable intimité au-delà des choses de l'esprit. Manon Blanche était difficilement lisible et elle eût pu encore nier, si on l'avait interrogée, avoir manifesté une quelconque inclination envers Vanderdorpe.

•

L'état physique de Baudelaire s'était rapidement dégradé. Désormais aphasique, il devait faire face à différents troubles neurologiques et gastriques dont le gratifiait une syphilis vieille de plusieurs années et mal diagnostiquée. Il fut décidé, de concert avec sa mère qui était montée à Bruxelles pour le veiller, de le ramener à Paris où il serait pris en charge et traité par le docteur Duval. Manon Blanche, qui l'admirait plus que tout autre et qui, l'ayant revu à plusieurs reprises depuis leur première rencontre, s'était faite la jeune confidente de ses vieux jours, voulut écourter son séjour bruxellois afin de le raccompagner en France. La nouvelle glaça Vanderdorpe.

Il la vit à Bruxelles pour la dernière fois à l'occasion d'une guinguette champêtre organisée pour l'auteur des *Fleurs du Mal*. Celui-ci, faible et fiévreux, sous d'épaisses couvertures, en dépit de la chaleur humide de cette journée, siégeait en roi fantôme, dans un fauteuil du siècle précédent que l'on avait transporté jusque-là à dos d'âne. Victor Hugo avait fait l'honneur de sa présence, jouant avec les enfants et tenant compagnie aux dames. En tout, une vingtaine de personnes étaient réunies, s'égayant innocemment au bord d'un modeste étang duquel l'on ne pouvait tirer que quelques tanches et de petits poissons-chats qui s'agitaient de moins en moins à mesure qu'ils mouraient dans l'herbe de la rive. Vanderdorpe ne parvint à obtenir un moment seul avec Manon Blanche qu'à la toute fin de la journée. Ils s'installèrent au bord de l'eau, à l'abri de hauts roseaux vibrants. Vanderdorpe était décidé à lui avouer son amour. Au cours des dernières semaines, certains regards, certaines paroles lui avaient laissé espérer que ses sentiments pussent être réciproques, que sa sensibilité et sa culture eussent su se frayer un chemin dans ce cœur nouveau. Apprenant que Manon Blanche repartait pour Paris, il avait acheté une bague en or sur laquelle il avait fait graver leurs initiales. Il comptait la lui offrir pour qu'elle ne l'oublie pas.

Les deux s'assirent en amont d'une berge herbeuse. Vanderdorpe vécut le moment comme un rêve. Manon Blanche parla la première.

— Mon ami, je m'inquiète beaucoup pour Charles... Plus il suit les conseils des docteurs Max et Marcq, moins bien il va... On m'a dit que vous étiez un excellent médecin... Vous ne voudriez pas intervenir, ne serait-ce que lui parler ?

— Oui... Mademoiselle, s'il accepte, je peux prendre quelques instants avec lui, mais...

— Je vous en serais tellement reconnaissante !

Elle posa sa main sur son bras.

— Mademoiselle Blanche...

— Oui ?

— Vous partez bientôt, plus tôt que je ne l'aurais cru...

Vanderdorpe commençait à sentir une étrange sensation dans son pantalon. Quelque chose de tiède qui poussait contre sa cuisse. Il était trop ému pour y faire véritablement attention.

— Manon, j'aurais aimé... je...

La chose bougeait très légèrement contre sa cuisse.

— Monsieur Vanderdorpe ?

Vanderdorpe pâlit quand il comprit qu'une grosse couleuvre tentait de se loger dans l'une de ses poches. En une fraction de seconde, il fit un bon prodigieux et atterrit directement dans l'eau tandis que le serpent rejaillit dans les airs pour retomber aux pieds de Manon

Blanche. La jeune femme comprit ce qui était arrivé et rit aux éclats en ramassant la bête. Baudelaire, qui avait observé la scène de loin, avait ri également, pour la dernière fois de sa vie. Le cri aigu et bref de Vanderdorpe avait fait accourir plusieurs personnes. Trempé et empestant la vase, Vanderdorpe mourut de honte. On l'aida à remonter sur la berge et on lui offrit de le raccompagner en ville pour se changer. Il accepta. En chemin, il s'aperçut qu'il n'avait plus la bague en or. Elle avait dû tomber dans l'étang, se perdre dans la boue. Les larmes lui vinrent aux yeux. Rémanente en son esprit dansait l'image de Manon Blanche, un grand serpent entre les mains.

Manon Blanche quitta Bruxelles quelques jours plus tard. Vanderdorpe s'effondra en secret. Amoureux et malade, en proie aux pires obsessions. Il tenta de donner le change autour de lui, de s'acquitter de son travail, de paraître un bon père et un bon conjoint. Il prétendit une grosse fatigue pour excuser son inattention et ses absences. Il y parvint un temps. Seul Armand Ruymbeck prit conscience de l'ampleur des tourments de son ami, mais ne put l'assister longtemps, un drame familial l'appelant à Paris pour l'été. Vanderdorpe sombra en lui-même, perdit intérêt pour toute chose. Il cessa de travailler. Puis de dormir et de manger. Il consacrait ses jours et ses nuits à de longues marches à l'extérieur de la ville. Il s'arrêtait parfois pour regarder vers le sud, vers Paris. Il ne trouvait de réconfort que dans le bleu du ciel et certains nuages qui passaient au loin, au-dessus des champs et des prés. Il s'imaginait auprès de Manon Blanche, sa bouche pour lui, comme en communion. Il voyait le monde s'arrêter autour d'eux et puis mourir.

Vanderdorpe retrouvait chaque soir le foyer. Il avait perdu tout amour pour Camille Claes, il lui mentait et, rempli de honte, n'arrivait pas à lui avouer les véritables raisons de son accès de spleen. N'eût été sa rencontre avec Manon Blanche, il aurait pu être heureux avec Camille Claes. Mais la rencontre avait été. Un jour, il comprit qu'il était tout simplement fait pour le malheur.

Le sifflet du vapeur annonçait l'accostage à un poste de commerce. Des travailleurs noirs s'apprêtaient à y décharger une cargaison de fusils. Vanderdorpe avait souhaité le meilleur pour Camille Claes et son fils. Il avait toujours aimé le petit Pierre et l'enfant le considérait comme son père. Un soir, il l'emmena avec lui, dans une longue promenade à pied. Le ciel était clair, il lui montra les étoiles, lui parla des constellations. À minuit passé, il ramena le petit Pierre, endormi dans ses bras. Au moment de le coucher, il l'embrassa longuement sur le front. Vanderdorpe prit un train pour Paris le lendemain matin.

Le vapeur heurta violemment la berge. À peine fut-il amarré que les hommes s'activèrent dans la chaleur épouvantable. Vanderdorpe, un instant, oublia Manon Blanche, Camille Claes et le petit Pierre.

PIERRE CLAES AVAIT ÉTÉ DÉVASTÉ par la disparition de son père adoptif. Il n'avait pas eu d'autre choix que de ravaler sa peine, qui s'était progressivement muée en haine. Une haine féroce pour ce père en fuite, puis une haine plus diffuse, larvée et sourde, qui ne ressurgissait plus qu'en tristesse. Cette haine était certainement une des raisons pour lesquelles il avait lui aussi quitté la Belgique et tenté l'aventure africaine. Sans idée précise de ce que ce faux-père était devenu, il l'avait toujours imaginé enfui par-delà les mers. Peut-être avait-il souhaité le retrouver pour le faire payer.

L'épisode dépressif d'Équateurville, duquel il venait tout juste d'émerger, avait, pour des raisons qui lui échappaient, ravivé cette colère haineuse en lui. Il en était venu à haïr d'une ardeur renouvelée non seulement son père adoptif, mais toute forme d'autorité masculine. Il se haïssait lui-même de n'être qu'un pion minable à la solde du roi. Vingt années de rage refleurissaient en son cœur dans les jungles congolaises. Pierre Claes, agent colonial, agent du progrès, n'était qu'un petit jean-foutre, le rejeton d'un mort, gâché par la fuite d'un moins-que-père. Cette rage d'enfant, qu'il avait longtemps transmuée en soumission afin de survivre dans l'Europe d'alors, n'avait pu être occultée qu'au prix d'une mélancolie et d'une autodépréciation permanentes auxquelles il s'était habitué, conformé même, depuis son abandon. Il se rappelait, adolescent, avoir lu l'histoire d'un homme qui, portant en permanence un veau dans ses bras, en était venu, au fil des ans, à porter un taureau sans effort, par simple accoutumance. L'image l'avait laissé songeur, puis il n'y avait plus repensé. Ce veau, il le savait maintenant, était sa peine. Il n'avait jamais pu s'y accoutumer et n'avait eu d'autre choix que de se jeter dans la gueule, grande ouverte, du Congo-Minotaure.

•

Józef Teodor Konrad Korzeniowski était le seul homme blanc que Pierre Claes ne haïssait pas au Congo. Tous les autres ne valaient à ses yeux guère plus que des excroissances improbables de vie dans la chaleur africaine, polypes puants de Léopold II, agents vides de la cancérisation du monde moderne. La prolifération fiévreuse et stérile d'une Europe malade sur le reste de la planète. Des fonctionnaires, petits et grands, gros et maigres, tous imbéciles, fiers du moindre négrillon qui leur obéissait, contraint et forcé par les armes. Fiers de la moindre putain de douze ans dans laquelle ils vidaient la matière morte de leurs testicules. Voilà ce qu'ils étaient, et que lui-même, Pierre Claes, était et avait toujours été, et qu'il aurait irrémédiablement haï à jamais s'il n'y avait eu des hommes comme Józef Teodor Konrad Korzeniowski. Il y avait chez ce Polonais quelque chose de supérieur et de sublime. La possibilité d'un rachat. Il était un des rares Blancs, au

Congo, à avoir une véritable considération pour les Noirs, à ne pas ternir son regard au moment de parler d'eux ou de les observer, un des seuls à les regarder dans les yeux, à pleine humanité.

Claes avait eu l'occasion, au cours des deux journées du petit Polonais à Équateurville, de passer un peu de temps avec lui. Les deux étaient allés chasser, s'éloignant peu du poste de traite, accompagnés de Mpanzu. Jósef Teodor Konrad Korzcniowski avait parlé de littérature. Pierre Claes qui ne lisait quasiment plus depuis plusieurs années avait écouté avec passion cet homme surprenant, bien trop maigre et si distingué. Il n'avait rien tué. Le désormais capitaine – il avait pris la relève de son défunt prédécesseur – du *Roi des Belges* avait parlé de l'admiration qu'il portait à Gustave Flaubert, à son style, non pas prosodique, mais ironique, toujours double, comme chaque chose. Il évoquait *Salammbô* quand il épaula son fusil et tira une antilope pygmée qui n'avait pas eu la prudence de s'éloigner à temps. L'animal fit un saut dans les airs. Ses yeux noirs étaient restés ouverts. En s'approchant du cadavre, Pierre Claes constata la beauté de l'animal. Il eut l'idée que celui-ci était mort pour lui, puis l'idée s'envola. Mpanzu fit basculer le petit corps sur ses épaules.

Ils veillèrent ce soir-là, accompagnés de Xi Xiao, le seul autre homme pour qui Claes avait de la considération. Les trois hommes s'enivrèrent au vin de palme. Vers minuit, Claes quitta ses compagnons. Arrivé à sa case, il hésita un instant, puis prit un fusil et rebroussa chemin. Il se dirigea en titubant vers la paillote du commissaire Lemaire. Il pensait à l'ironie de Flaubert dont lui avait parlé Jósef Teodor Konrad Korzeniowski. Il attendit peut-être une heure devant chez Lemaire, hésitant à frapper, fusil en main, trop soûl pour savoir ce qu'il faisait exactement. Personne ne le vit. Il s'était allongé et fumait en écoutant la jungle environnante. Il pensa un moment à la possibilité de se tuer. Cela était trop absurde. Il pensa, un peu plus tard, à la petite antilope et, un peu plus tard encore, aux dernières découvertes astronomiques du siècle sur lesquelles il avait lu un article particulièrement intéressant, quelques jours avant de s'embarquer pour l'Afrique. Il existait ainsi une huitième planète au-delà d'Uranus. Il ferma les yeux. Doucement. Il s'était calmé. Il rentra se coucher.

•

Le *Fleur de Bruges* avait été remis à flot. Jósef Teodor Konrad Korzeniowski repartit à Léopoldville, en proie à une diarrhée qui l'avait saisi la veille de son départ. Sur ses conseils, Claes avait réussi à maîtriser sa colère et ses angoisses, ou tout du moins à les circonscrire. Il avait confié au Polonais son attente nocturne devant la paillote du commissaire Lemaire. Celui-ci avait paru intrigué, avait semblé réfléchir, fixant le géomètre, sans parler. Il lui avait posé une main amicale sur l'épaule.

— Accomplissez votre mission et retournez en Europe, Pierre... Ce pays n'est pas fait pour vous... Vous êtes bien trop romanesque...

Les deux hommes s'étaient quittés amis, promettant de se revoir, en Afrique ou en Europe. Trois jours plus tard, le *Fleur de Bruges* quittait Équateurville. Aux commandes de l'expédition, Pierre Claes conserva longtemps le silence.

VANDERDORPE ATTEIGNIT les berges boueuses d'Équateurville une quinzaine de jours après le départ de Pierre Claes et de son expédition. Il rendit visite au commissaire Lemaire, qui lui dit le plus grand bien de Claes. Un jeune fantasque, comme ils le sont tous aujourd'hui. Mais déterminé, cela se voyait à son regard, un entrepreneur, un aventurier. Un bon bout de Belge, fait fort, les joues encore roses sous le climat équatorial, et malgré le manque de bière (rire), un de ceux dont le pays avait tant besoin. Une jeune fille sortit en courant de la paillote du commissaire de district et vomit au pied d'un arbre.

— Ces petites filles ne tiennent pas le climat, elles repartent demain avec le vapeur sur lequel vous êtes monté... C'est dommage... Il y a de l'argent à se faire ici... Il n'y a que la grande Camille qui se soit habituée... Elle sera là ce soir... Elle est très habile, vous verrez, cela change des négresses...

Vanderdorpe refusa poliment l'invitation et demanda une case dans laquelle s'installer quelques jours. Lemaire lui proposa celle que Claes avait occupée. En s'y installant, Vanderdorpe y trouva quelques notes manuscrites relatives à diverses considérations géométriques obscures pour lui. Il les plia soigneusement et les glissa dans une serviette de cuir qu'il transportait avec lui. À terre, il remarqua quelques mégots de cigarettes écrasés et des traces de pas dans la poussière rouge. Cela faisait presque un quart de siècle qu'il n'avait pas été aussi proche de Pierre Claes. Le plus dur, à son départ, avait été de le quitter, il s'était répété toute la nuit que l'enfant n'était pas son « vrai » fils, seulement celui de sa concubine. Son obsession pour Manon Blanche avait fini par tout éclipser. Il pleuvait lorsqu'il arriva à la gare du Nord. Peu importait. Il se rapprochait de Manon Blanche. C'était alors tout ce qui comptait.

•

Armand Ruymbeck avait dû se rendre en catastrophe à Paris au chevet de son unique et vieille tante qu'un cancer de la gorge achevait d'emporter en ce chaud été 1866. Cette tante, Léonie Coulomet, née flamande mais parfaitement francophone, avait épousé, peu après la bataille de Waterloo, un officier déserteur de l'armée napoléonienne en déroute qui avait fait le choix discret à la suite de la défaite de changer de nom et de carrière et à qui le fol amour que lui avait immédiatement porté cette jeune fille bien née rencontrée au détour d'une rue de Bruxelles avait permis de se réorienter dans l'industrie du sucre, industrie aux racines coloniales dans laquelle fleurissaient les affaires du père de Léonie. François Béchant, donc, après avoir officiellement adopté le nom de son grand-père, aucunement noble et pourtant mort sous le tranchant de la guillotine en 1793, Théophile Coulomet, avait épousé Léonie Ruymbeck et s'était installé à Paris, boulevard du Temple, d'où il assistait son beau-père dans la gestion de l'importation sucrière. Le couple n'avait pas eu d'enfants, François Coulomet ayant reçu une fâcheuse blessure à Waterloo, mais n'en avait pas moins eu une vie douce et confortable. François s'était paisiblement endormi un matin d'avril 1861 dans les bras de Léonie pour y décéder quelques minutes plus tard d'un soudain arrêt du cœur. Quelques années passèrent, Léonie partit elle aussi, sans regret, serrant la main de son cher neveu qui lui avait tenu lieu de fils par procuration et à qui elle laissait l'intégralité de son héritage, sucrerie et appartement boulevard du Temple compris.

— Tout est à toi, tu n'auras plus à travailler, mon petit Armand... Le travail est une plaie purulente dans la maigre vie des hommes...

Un nuage éclipsa le soleil et la bonne dame rendit l'âme.

Armand Ruymbeck, libéré des contingences matérielles, commença à mener cet été-là une vie littéraire et oisive, uniquement consacrée aux plaisirs de la chair et aux prémices de l'aventure symboliste, quand il reçut, tout début septembre, la visite de Vanderdorpe. Il ne fut qu'à moitié surpris et offrit à son ami, visiblement agité et dont il connaissait les goûts, une infusion de camomille.

Quelques jours plus tard, les deux camarades s'éternisaient dans le salon du 35 boulevard du Temple – Ruymbeck avait invité Vanderdorpe à s'installer chez lui, ayant compris que celui-ci était déterminé à rester à Paris –, et Ruymbeck se décida à parler.

— L'associé de feu mon oncle a épousé une jeune femme dont le cousin est poète… J'ai eu plusieurs fois l'occasion de rencontrer ce dernier… Un homme étrange… Je l'ai revu récemment… Il vient de publier quelque chose d'intéressant, de nouveau, je l'ai invité à déjeuner cette semaine… Manon Blanche le respecte beaucoup… Si je l'invite avec lui, elle viendra assurément et vous la verrez le plus naturellement du monde…

Vanderdorpe ne bougeait pas. On pouvait entendre son cœur battre dans la pièce.

L'invitation fut donnée pour 12 h 30, le jeudi suivant.

•

Des éclats de rire provenant de la paillote de Lemaire sortirent Vanderdorpe de sa rêverie. Avait-il dormi ? La nuit était tombée comme un objet lourd, bousculant les ombres. Vanderdorpe, allongé à l'abri de sa moustiquaire, ralluma sa pipe. Inspirant la fumée profondément, il décida en l'expirant de se souvenir du jour où il avoua son amour à Manon Blanche.

Paul Verlaine arriva le premier. Ruymbeck l'accueillit chaleureusement. Vanderdorpe retint un sursaut en voyant entrer au salon cette sorte de petit homme singe – ouistiti ou capucin, de ceux qu'il avait vus il y avait quelques années de cela au zoo de Bruxelles – engoncé dans un complet ridiculement trop bourgeois pour sa physionomie énervée et fragile. Ses mains étaient couvertes d'eczéma. Très laides de forme. Vanderdorpe eut un instant de soulagement. Manon Blanche ne pouvait qu'admirer cet homme, rien de plus. Impossible qu'elle éprouvât pour lui autre chose que de l'amitié. Le fait que les deux invités ne soient pas arrivés ensemble le rassurait également. Les mille et une inquiétudes qui l'avaient tourmenté les nuits et les jours précédents s'évanouissaient. Ce Verlaine n'était pas l'amant de Manon Blanche.

— C'est un plaisir, monsieur Vanber Borre... Armand m'a beaucoup parlé de vous...

Vanderdorpe offrit à Verlaine le plus aimable des sourires.

Les cigares avaient été allumés et les anisettes servies lorsque Manon Blanche se présenta à son tour au 35 boulevard du Temple. Vanderdorpe était à peu près certain de cela, il s'en rappelait précisément. Il continua de se souvenir, allongé dans la nuit congolaise. Les anisettes avaient été servies. Lui-même, qui ne buvait jamais, avait opté ce jour-là pour de l'alcool. Non seulement pour calmer sa nervosité, mais aussi parce que le jeune Verlaine, quoique d'apparence timide, avait un je-ne-sais-quoi de scintillant et de grivois dans l'œil qui incitait à la licence. Un air léger de satyre. Un satyre maigre et blanc. Vanderdorpe se souvenait également très bien des premiers mots que lui adressa Manon

Blanche en le voyant : « J'ai gardé la couleuvre ! » Vanderdorpe chercha à répondre par un trait d'esprit. Il n'en trouva point. En racontant l'incident de la guinguette à Ruymbeck et Verlaine, Manon Blanche insista sur le fait que personne n'avait, depuis ce jour-là, revu Baudelaire rire ainsi. C'est lui qui avait demandé à ce que l'on conservât la couleuvre dans un vivarium à son chevet parisien. L'animal veillait le poète. Il avait récemment mué. Manon Blanche conservait cette mue qu'elle avait fait coudre sur un canotier. Elle dit vouloir l'offrir à Vanderdorpe.

— Je lève mon verre au plus grand des poètes, dit Ruymbeck.

Et tous burent.

— Tu parles, Charles ! dit Verlaine.

Ils burent encore.

D'autres toasts avaient été levés quand ils passèrent à table. Vanderdorpe avait oublié le détail du fil des conversations. Verlaine proférait des insanités de plus en plus grossières à mesure qu'il buvait. Vanderdorpe avait ri comme il n'avait pas ri depuis longtemps. Il en avait recraché sa nourriture sur la table. Du veau. De cela il se souvenait. Saignant. Délicieux. Manon Blanche avait éclaté à son tour, crachant de la sauce sur les convives. On parla, bien sûr, du premier recueil de Verlaine à qui Ruymbeck promit une recension. On parla tout aussi certainement de celui de Manon Blanche, au sujet duquel Verlaine s'extasia de façon interminable. Une recension, également, fut promise. Le dessert – une charlotte russe ? Vanderdorpe n'était plus certain – fut accompagné de champagne. On fuma du haschisch que Manon Blanche avait apporté, puis d'autres bouteilles de champagne furent servies. Verlaine décida d'uriner par la fenêtre de la salle à manger, directement dans la cour intérieure. L'après-midi s'évaporait dehors, tranquille et lumineux. On pouvait entendre la rumeur de la ville. Le monde n'était pas mort et Vanderdorpe se rappelait avoir soudainement eu peur, à ce moment-là, de vivre vieux. Il aurait donné sa vie pour embrasser Manon Blanche. Et puis mourir, là, en septembre, boulevard du Temple, arrimé à ses lèvres chaudes, d'un anévrisme solaire ou d'un infarctus héroïque.

Vanderdorpe, enveloppé de nuit, avait glissé hors de lui-même, dans l'éternité de cet après-midi de septembre 1866. Peu importe qu'il ne se souvînt pas de qui eut l'idée de sortir, le fait est que les quatre compagnons, maintenant complètement ivres, s'étaient élancés dans les rues de Paris, bras dessus bras dessous, marchant comme au rythme du temps, sans vieillir, ne serait-ce que d'une seconde. Par quelles rues étaient-ils passés ? Tous l'avaient oublié et Vanderdorpe, ayant rompu toutes amarres, flottait béatement au-dessus de la ville. La présence de Manon Blanche n'aurait pu avoir de sens plus parfait qu'en cet instant, qu'en cette complicité vertigineuse avec l'automne irradié d'or humide. Une infinité de particules s'élevaient dans le soleil, comme portées par la visible transparence de l'air, suspendues par l'arrêt du temps. Manon, à son tour, urina odieusement entre deux buissons qui bordaient une avenue. Vanderdorpe écoutait le gros rire de Verlaine en observant le chaud liquide courir dans la poussière. Manon leur prit chacun la main, à lui et à Verlaine. Ils s'envolèrent à nouveau.

À une quelconque terrasse, ils commandèrent de l'absinthe. Pourquoi les quatre ne s'étaient-ils pas trouvés avant ? Arthos, Porthos, Aramis et d'Artagnan, voilà ce qu'ils étaient. Cette journée marquait le début d'une grande et longue amitié. Vanderdorpe n'aurait osé en demander plus. Il devinait seulement la poitrine de Manon Blanche à travers sa robe légère. En tant que médecin, il n'avait pas de difficulté à imaginer le reste. Le cœur pompant derrière la cage thoracique. Les poumons encore roses à l'odeur d'orgeat. L'estomac tout occupé encore au veau du midi, arrosé régulièrement de salive et d'alcool. Et puis, nerveusement, il poursuivait, imaginant, intriqués, les deux intestins, en tas de chairs intimes et tendres, et puis plus bas encore, à bout de force, comme le nom secret de Dieu, l'anus et la vulve reposaient au cœur du temps. Vanderdorpe alluma une autre cigarette, au bord de la dissolution. Manon Blanche le regardait en souriant. Il fixa un instant son regard sur le sien. Il eût éjaculé par les yeux si cela eût été possible. Il sourit.

•

Verlaine vomit peu après que le soleil disparut à l'horizon. Il fut décidé de l'emmener boulevard du Temple plutôt que de le reconduire chez lui. Verlaine vivait encore avec sa mère, on ne voulut pas retourner à la pauvre dame un fils ivre mort. L'appartement de Ruymbeck comprenait assez de chambres pour loger tout le monde. Comment ils y retournèrent, cela demeurait un mystère pour Vanderdorpe. Il était certain toutefois qu'ils étaient parvenus tous les quatre dans le salon de Ruymbeck. Verlaine avait été couché, puis ce fut au tour de Ruymbeck d'être malade. Manon Blanche et Vanderdorpe étaient ressortis. Manon Blanche voulait offrir le canotier orné de la mue de couleuvre à Vanderdorpe. Ils errèrent un moment dans Paris. Elle lui prit la main. Vanderdorpe pouvait la sentir, petite et chaude. Elle y était encore, cette main dans la sienne, à Équateurville, et il la caressait du pouce, bien des années plus tard, allongé sur un petit lit militaire, dans une case en bois humide, et il soupirait dans la nuit, de pitié pour lui-même.

Chez elle, Vanderdorpe l'embrassa, un court baiser. Manon Blanche alla chercher le canotier. Vanderdorpe conserverait toute sa vie, indélébile, le souvenir de la mue et de la perfection de son motif vert et jaune. Sous ces yeux, sur le chapeau de paille, la peau de serpent irradiait d'une lumière lunaire et aveugle. Vanderdorpe demeura muet au seuil du mystère de cette étrange découpe et de l'impossibilité d'existence de cette peau renversée, de cette merveille, infiniment plus sèche et pourtant infiniment égale à son histoire, à son amour, égale à la peau de Manon Blanche, à son cœur, à ses poumons, à ses viscères, infiniment égale au cœur du temps, égale à sa bouche, égale à ses yeux.

— Je vous aime, Manon...

— Non, Vanderdorpe, non...

DE NOVEMBRE 1890 À JANVIER 1891, le *Fleur de Bruges* remonta péniblement la rivière Ubangi. Mads Madsen, l'un des rares capitaines de la Société du Haut-Congo à pouvoir amener un vapeur aussi profondément dans les terres, cessa littéralement de dormir pour pouvoir diriger le bateau et l'équipage entre les rives luxuriantes et sombres de la rivière. La nuit, il insistait pour surveiller lui-même l'arrimage précaire de son navire aux berges sauvages. À peine s'accordait-il, parsemés ici et là, dans la veille qu'était devenue sa vie, des effondrements d'une vingtaine de minutes. Il déléguait alors le bateau à Mpanzu, dont il avait fait son second. En vérité, Mpanzu aurait pu naviguer bien plus longtemps et Mads Madsen dormir d'autant plus. Mais Mads Madsen, en âme inquiète, avait insisté pour que Mpanzu le réveille à la moindre menace, qu'elle soit haut-fond de sable, hippopotame ou indigène curieux. Ainsi ne dormait-il plus que d'une ombre de sommeil, par échancrures de nuit dans la chair des jours. Il disait avoir souvent dormi ainsi durant la guerre. Nul ne savait précisément de quelle guerre il s'agissait. Chacun acquiesçait, admiratif devant tant de bonhomie dans l'effort.

Entre les membres d'équipage bantous, le capitaine danois, le chef d'expédition belge et son second chinois, personne, au sein de l'expédition Claes, ne comprenait véritablement tout le monde. Sans parler du chimpanzé qui, de son gré, avait choisi de poursuivre l'aventure à bord du *Fleur de Bruges* et que Claes avait baptisé Léopold, du nom de son roi. Le petit vapeur était une Babel perdue dans les jungles, une entreprise humaine au lendemain de sa déréliction, on y fonctionnait par mimes et sabirs. Xi Xiao se rapprocha, un peu plus encore, de Pierre Claes.

Chaque soir, de ses mains agiles et de sa voix caressante, Xi Xiao parlait de son art à Pierre Claes. Il lui parlait de sa formation de bourreau, de ses premières victimes, de ses plus récentes. Claes comprenait peu, mais assez pour savoir que celles-ci ne souffraient pas, que l'on avait recours à l'opium. Les plus vils, ceux extraits des plus basses classes de la société ou ceux ayant commis les crimes les plus odieux étaient abrutis de drogue et mouraient généralement de surdose bien avant de succomber à la découpe. Les plus nobles, en revanche, ceux qui, innocents de tout méfait, choisissaient le *lingchi* comme suicide, étaient à peine drogués. Les bourreaux agissaient alors avec tant de douceur et d'habileté que non seulement ces découpés ne ressentaient aucune douleur, mais ils étaient en outre en proie à une excitation érotique des plus violentes, qui ne pouvait se résoudre qu'en une extase fabuleuse, sans partage possible. Les suicidés affichaient devant l'assemblée réunie pour l'événement - ces mises à mort étaient intimes mais se tenaient toujours en présence de proches, d'amis et de parents - l'expression silencieuse et parfois étonnée d'orgasmes tendres et inédits. Leurs derniers regards, portés sur les êtres aimés, paraissaient embrouillés par la vie même, débordants de sève et de joie. Lorsque la mort venait, les suicidés n'étaient plus au sol qu'un tas d'organes dont la vie ne tenait qu'à son principe même ; d'humain ne restait que le visage apaisé, reposant auprès des siens. Pierre Claes, lentement, déchiffrait les paroles de Xi Xiao. Le navire progressait vers le cœur de l'Afrique, comme remontant une artère ouverte que le soleil chaque soir cautérisait. Les moustiques s'abattaient alors sur lui, issus de la nuit comme autant de malédictions surgies du corps sombre et palpitant de la forêt équatoriale.

Xi Xiao avait également renoué avec Mpanzu. Certaines nuits claires, tandis que l'équipage dormait et que Mads Madsen veillait sur le *Fleur de Bruges*, il avait terminé le mystérieux tatouage qui orna dès lors le bas-ventre du jeune Woyo. Jamais Mpanzu n'avait ressenti autant d'innocence et de simplicité dans le plaisir qu'à l'occasion de ces séances nocturnes. Il lui avait semblé en ces moments de délice que ce pour quoi il avait quitté les siens, ce qu'il avait recherché en aventure, s'exprimait comme le chant audible mais indéfinissable de milliers d'insectes lui caressant le cœur. Il lui arrivait de jouir et, dans ces moments, il ouvrait les yeux et regardait la lune. À l'issue de chaque session, lui et le bourreau chinois discutaient jusqu'au jour en écoutant le bruit de l'eau et les chants des animaux nocturnes, mimant, chuchotant, dessinant leurs passés, partageant leurs attentes.

Mpanzu demanda à Xi Xiao quel esprit tourmentait Pierre Claes. Il lui dit qu'il avait connu beaucoup de Blancs plus violents que lui, mais qu'il n'avait jamais perçu autant de détresse dans le regard de l'un d'eux que dans celui du géomètre. Il lui dit encore que depuis leur départ de Léopoldville, il avait vu une rage apparaître et augmenter de jour en jour dans les yeux de Pierre Claes et qu'il la voyait maintenant éclairer ses pupilles, menaçante, comme une lanterne froide brimbalant dans l'herbe sèche. Xi Xiao répondit que Pierre Claes l'ignorait, mais qu'il avait choisi de découper bien plus que ce que les Européens appelaient *le Congo* en acceptant de délimiter la frontière de son roi. Xi Xiao dit que Pierre Claes ne connaissait pas le secret de ses origines et qu'il était le fils d'un découpeur, issu d'une lignée d'hommes malades et de visionnaires. Xi Xiao avoua à Mpanzu qu'il aimait Pierre Claes d'un amour qui n'aboutirait jamais autrement que dans la mort. Pierre Claes était son amant mystique et son frère dans la mort et tout ne pouvait se parfaire qu'en leur dissolution. Mpanzu demanda à Xi Xiao s'il savait quand Claes allait mourir. Xi Xiao répondit que oui. Mpanzu demanda à Xi Xiao s'il savait quand lui, Xi Xiao, allait mourir. Xi Xiao répondit que oui. Mpanzu demanda à Xi Xiao s'il savait quand lui, Mpanzu, allait mourir. Les yeux de Xi Xiao se mouillèrent. Il répondit que oui.

Tous les travailleurs noirs de l'expédition Claes s'accordaient sur le fait que Pierre Claes était le Blanc le moins violent sous les ordres duquel ils avaient eu à travailler. Certes, ils ne bénéficiaient pas des privilèges qui étaient accordés à Mpanzu et Xi Xiao, notamment celui de manger à la table du capitaine et du géomètre, mais ils n'avaient pas à souffrir des humiliations, violences et assassinats qui constituaient le lot quotidien des travailleurs indigènes. Claes n'en avait battu aucun à coups de chicotte et n'avait pas une seule fois pointé son fusil sur l'un d'eux. Chose rare, aucun n'était mort depuis le départ de Léopoldville. Si tous demeuraient malheureux – et qui ne l'eût pas été à leur place –, chacun savait apprécier le sort particulier que leur réservait ce petit Belge. Claes les traitait avec froideur, mais les traitait avec respect. Raciste, Pierre Claes l'était certainement, comme tout colonial de sa génération, mais sa haine se portait ailleurs que sur les Noirs. Contrairement à ses compatriotes, il la conservait en lui, informe et indécise quant à son objet, retournée sur elle-même, contre elle-même, mélancolique, grandissant par plis et détours en son être, comme le fœtus malade d'une très jeune fille qui peine à cacher son état. Le jeune géomètre se sentait partir et réquisitionnait l'intégralité de ses forces pour se maintenir à flot. Tantôt il s'absorbait dans des cartes de l'Afrique, rêvant infiniment, emporté par un accès de fièvre, tantôt il repensait aux suicidés chinois, extatiques tas de viandes que pleuraient leurs proches. Si le lien qui à la mutilation associait le plaisir n'était pour lui ni évident ni immédiat, il n'en faisait toutefois pas une absurdité, et quelque chose de souterrain et d'informulé propageait en lui cette image comme une vérité. La nature également l'émerveillait. Jamais il n'aurait pu imaginer de créatures plus merveilleuses que les mille singes et oiseaux qu'il apercevait sur les rives de l'Ubangi. Le jardin d'Éden n'avait dû être qu'un simple brouillon comparé à la jungle africaine. À plusieurs reprises, il se dit que son enfance eût été plus facile s'il avait eu connaissance de l'existence des fleurs qu'il voyait alors, s'il avait su qu'il y avait, quelque part sur la Terre, un Paradis plus mystérieux que celui de la catéchèse, un lieu d'où pas une couleur n'était absente, où la mort même était extraordinaire, un lieu dont le calvaire quotidien de l'extrême chaleur et des insectes consacrait la beauté en vérité au lever du soleil. La nuit, Claes levait la tête vers le ciel et observait les étoiles, que sa profession lui avait rendues familières. Le ciel était toutefois différent sous l'Équateur. L'Étoile polaire n'était plus visible à cette latitude. Des constellations apparaissaient sous un autre jour, Orion, l'Hydre, le Serpent, le Petit Chien, et tant d'autres que Claes découvrait, ému. Plus loin, il devinait le ciel austral, ciel renversé qu'il ne pouvait qu'imaginer comme un gouffre sombre versant directement dans le Tartare désertique, un creux informe et froid. Chaque nuit un peu plus, Claes prenait la mesure de la progression de l'ombre en lui, de sa catabase africaine vers la Ténèbre intérieure. Pierre Claes pleurait alors comme un enfant, inconsolable de sombrer et effrayé par la violence à venir et les promesses tristes de la mort.

•

Le jour de Noël 1890, Mads Madsen et Pierre Claes descendirent à terre accompagnés de Mpanzu et tuèrent trois chimpanzés d'une horde curieuse qui suivait le bateau depuis quelques jours. Ils venaient d'abattre deux mâles et une femelle. Le reste des singes apeurés ayant fui, Claes s'approcha du plus gros des cadavres. Il venait à peine de mourir et pourtant son regard était déjà laiteux, n'exprimant ni haine ni surprise. Étendu sur le sol, le corps offrait au regard la perfection de son anatomie. Pierre Claes fut frappé par l'innocence de cet être qui n'était plus. Mads Madsen, Mpanzu et lui prirent chacun un corps et s'en retournèrent au bateau. Les chimpanzés furent cuisinés par deux travailleurs kongos, appartenant à un autre clan que celui de Mpanzu. Dépecés et vidés, ils ressemblaient furieusement à des enfants écorchés. Chaque membre de l'expédition fut invité à se joindre au repas, même Léopold, qui observa avec curiosité les humains manger ses congénères. Claes fit jurer à l'équipage qu'aucun mal ne serait fait à ce chimpanzé.

Les hommes acquiescèrent. Plus tard, ils voulurent célébrer la Noël à leur façon. Claes accepta. Les hommes chantèrent et dansèrent toute la nuit. Le *Fleur de Bruges* reprit sa route le lendemain. Une semaine plus tard, le petit vapeur accosta au poste de Zongo, faisant face à Bangui, ville française fondée l'année précédente sur la rive opposée.

•

Les rapports entre colons français et belges étaient cordiaux entre Bangui et Zongo. Contents de ne pas se retrouver isolés à des centaines de kilomètres de Léopoldville, les agents coloniaux de l'État indépendant du Congo traversaient régulièrement l'Ubangi pour visiter les Français dont ils partageaient la langue et un goût prononcé pour le vin de palme propre aux colons francophones. Pour célébrer l'arrivée de Claes, dont le travail devait, on le souhaitait, mettre fin aux chicanes frontalières, les Belges improvisèrent un repas auquel ils convièrent leurs camarades français. Bien sûr, seuls Pierre Claes et Mads Madsen y furent admis, un racisme virulent régnant d'une rive à l'autre. Le repas était composé de gibiers divers et de poissons, fraîchement chassés, pêchés et préparés par des travailleurs indigènes. On ouvrit pour l'occasion un tonneau de rhum des Antilles apporté par les Français. Pierre Claes prit le parti de se soûler. Mads Madsen s'effondra après trois verres et s'endormit parmi les rires et les grossièretés.

Mpanzu avait été frustré de ne pas avoir été admis au dîner célébrant l'arrivée de l'expédition Claes. Il en était partie prenante pourtant, indispensable même. Le plus aventurier de tous, certainement, ayant tout quitté pour s'offrir à la résistance et à l'immensité du monde. Il supportait très difficilement de devoir rester à bord du *Fleur de Bruges* comme Pierre Claes le lui avait commandé. Les autres travailleurs n'avaient rien dit et s'étaient allongés sur le pont, à leurs places respectives. On pouvait voir leurs yeux luire dans l'obscurité, comme autant d'esprits surréels. Xi Xiao s'était isolé à la proue, y demeurant prostré et silencieux, comme un Bouddha triste. Léopold était parti à terre, de sa démarche chaloupée et vive, à la découverte de Zongo et de ses environs. Mpanzu n'avait personne à qui confier son amertume. Assis sur le pont, les jambes ballantes par-dessous le bastingage, il entendait les rires et les éclats de voix parvenant de la longue paillote abritant le repas. Des bribes de français flottaient dans l'air, tirées comme des coups de feu et portées par les bruits de l'eau et de la nuit. Chacune d'elles le blessait. Chacune d'elles niait son être, son histoire, niait sa peau et ses ornements. À la lueur de la lune et des astres, Mpanzu regardait ses mains et y lisait la carte de ses voyages. Il regardait son torse, ses bras, son ventre, ses jambes, ses pieds, et il y lisait une vie d'homme. Sans doute possible. Ses tatouages, bruns sur ébène, y brillaient comme le sang des étoiles, de ses pieds à ses mains, de sa tête à ses fesses, de son sexe à son cœur. Enfin, sur son bas-ventre, à l'orée du pubis et de sa laine noire, scintillait l'œil-vulve qu'y avait encré Xi Xiao. Mpanzu se leva et descendit à terre en enjambant le bastingage.

•

Pierre Claes vomissait à quelques pas de la paillote lorsque Léopold vint le trouver. Au loin, le brouhaha de la beuverie coloniale avait crû d'un ton et chiffonnait la nuit. Dans l'obscurité, le chimpanzé apparut moins voûté et plus grand qu'il ne l'était. Claes devinait seulement la silhouette du primate dont émanaient des souffles discrets et de légers claquements de lèvres. Léopold l'aida à se relever, puis le fit s'asseoir. Le singe se plaça derrière le géomètre et, de ses mains humaines, lui cacha les yeux. Claes se laissa faire, soulagé d'avoir vomi et bercé par la douceur de l'animal. Celui-ci le renifla, s'attardant aux oreilles et au cou. De ses mains puissantes et sauvages, tendrement, il massa les yeux et leur pourtour. Claes n'existait plus qu'à peine, fils meurtri bercé par un singe portant le nom d'un roi. Les mouvements de Léopold se faisaient de plus en plus lents, jusqu'à devenir imperceptibles et s'évaporer en présence pure. Chaude et douce. Claes sentit les lèvres molles et piquantes se poser à l'orée de son oreille gauche.

Un instant de silence. Il entendit Léopold murmurer ces mots :

« Adieu mon amour. »

Le singe s'enfuit dans le noir des jungles. Claes bascula en arrière et vomit de nouveau. Un coup de feu retentit. Le géomètre se leva péniblement et marcha en direction de la détonation. Il arriva à un groupe d'hommes qu'éclairaient leurs torches, assemblés autour de ce qui ressemblait à un tas de tissu. Claes reconnut les voix de deux agents belges avec lesquels il avait fait connaissance plus tôt. Joseph Leclerq et Honoré Tounens, dix-neuf et vingt-trois ans, tous deux natifs d'Anvers. Claes les héla, ils lui répondirent, visiblement très excités et très ivres. Honoré Tounens partit d'un rire aigu et obscène, comme celui d'une hyène. Il abaissa sa torche sur le tas de chiffons, demandant à Claes :

— Il est à vous, ce nègre ? Il rôdait autour de la paillote... Je lui en ai fait passer l'envie...

En lieu et place du tas de fripes, Claes reconnut le cadavre de Mpanzu, troué de deux impacts de balle et défiguré par plusieurs coups de crosse. Une épaisse traînée de sang s'était écoulée de son bas-ventre.

— Balançons cette merde à la rivière avant qu'elle pue, dit Leclerq en passant une gourde de rhum à Claes.

Les tatouages de Mpanzu luisaient à la lumière

des torches, déployant leur voyage infini et le mystère d'une aventure. Silencieusement, à la proue du *Fleur de Bruges*, Xi Xiao pleurait. Ses larmes coulaient dans la rivière Ubangi. Sur le pont, des yeux ouverts reflétaient la nuit.

L'EXPÉDITION CLAES REPRIT son chemin le lendemain du meurtre de Mpanzu. Le cadavre de celui-ci avait été jeté dans l'Ubangi sans plus de cérémonie. Claes n'avait pas protesté. À peine ouvert la bouche, et marmonné quelques mots aussitôt dissous dans l'air humide. Seul Mads Madsen, à son réveil, tôt le lendemain matin, apprenant la nouvelle, gueula un peu, au hasard, ici et là, dans son français approximatif, engueulant surtout de la viande soûle encore du rhum de la nuit et indifférente à l'affaire, recevant le tout avec un regard de veau malade, inhalant une autre bouffée de tabac gris. Mpanzu avait été un excellent mécanicien, un compagnon de bord remarquable, sans qui le *Fleur de Bruges* ne serait certainement pas arrivé jusqu'à Zongo. Mais Mads Madsen savait qu'il n'avait rien à gagner à se plaindre de la mort d'un travailleur noir en territoire colonial, rien de plus que de passer sa mauvaise humeur et son mal de tête sur une bande d'abrutis qui n'avaient pas le moindre sentiment d'être des assassins. Il savait également qu'il en aurait, pour sa part, bientôt terminé avec l'expédition Claes, Zongo étant à une cinquantaine de kilomètres de la fin de la partie navigable de l'Ubangi. Bientôt, ce serait Mokoangai et ses rapides, où il déposerait Claes et ses hommes, avant de redescendre embarquer d'autres hommes, du caoutchouc et de l'ivoire à Zongo et de reprendre la direction de Léopoldville. Il demanderait à Xi Xiao d'effectuer le travail de Mpanzu jusqu'à Mokoangai.

Légèrement calmé, il alluma sa pipe, content tout de même d'avoir dormi une nuit quasi complète. La première depuis des semaines.

•

Les fièvres, qui avaient laissé quelque répit à Claes ces dernières semaines, reprirent d'une ardeur nouvelle, alternant leurs cycles de chaud et de froid sur le fond desquels les pensées du géomètre, s'arrachant aux dernières apesanteurs du langage, retrouvaient leurs orbites de peur amplifiées. Ainsi, un peu plus émancipé encore du *statu quo* mensonger dont l'armature est celle des formes salubres de l'existence, Claes progressait, selon la mesure du *Fleur de Bruges*, dans les chairs hallucinées d'une nature par sa conscience renouvelée. Chaque être y perdait lentement son arrimage verbal, *s'étrangeant* – tel devait être le terme, Claes le sentait – dans les hautes atmosphères d'un réel en constante abolition. Les rives de l'Ubangi déployaient une solitude privée de sens, non pas un paysage unifié mais des individualités irréconciliables, paysages minuscules sans horizon d'avenir, une plante à feuilles larges ici, de hautes herbes là, un arbre fou géant au loin, bougeant au vent chaud, évoquant un paysage perdu au-delà duquel eût dû être la possibilité d'une rencontre, d'une histoire, mais où s'écrasait seulement un sentiment d'absence et de perte. En chacun de ces points chauds de végétation et de lumière se projetait la peur d'un très jeune enfant – *infans, in farer, non farer,* « qui ne parle pas », se souvenait Claes, que son latin d'école n'avait pas quitté – arraché à sa mère. Remontaient à fleur d'Afrique les souvenirs d'un autre monde, d'appartement craquant et de rêves s'élevant, bleus, par les fenêtres vers les ciels de dimanches. Les désirs purs et nouveaux de petits riens, minuscules bric-à-brac sur les scènes fortuites de meubles vernis, comme de premières présences d'intimité, premiers symptômes, premières élaborations d'érotisme. Ses souvenirs réapparaissaient pour aussitôt se voir douloureusement niés par l'isolement de tout, tous et chacun dans la férocité sauvage et la violence coloniale. Souffrant jusque dans les os, Claes se voyait forcé de tuer ces restants précieux de sens et d'amour après en avoir subi la déchirante remembrance, comme un petit garçon aurait jeté pardessus bord ses attachements profonds pour les voir disparaître, sans retour possible à l'ordre, sans retour au *bonne nuit* maternel, à la certitude de la chambre et du lendemain, dans les remous des pales agitant les eaux brunes de l'Ubangi. Plus cette scène du coucher lui apparaissait et plus la jungle se faisait ardente, sombre et éloignée, plus Claes voyait en lieu et place du jeune garçon le corps battu de Mpanzu que venait border une mère dans l'ignorance de la condamnation du fils, déjà mort mais aux yeux encore vivants, sombrant dans la nuit comme dans un sable mouvant, hurlant de silence, d'affolement et de souvenirs. Ainsi, de jour en jour, Pierre Claes s'effondrait-il en lui-même et en la luxuriance ténébreuse qui fondait le cœur de l'Afrique.

•

Le trajet jusqu'à Mokoangai se fit en une dizaine de jours et sans encombre. Claes avait instauré une unité nouvelle au sein de l'expédition, réunissant sans discrimination l'entièreté de l'équipage aux repas. Il apprit enfin le nom des sept travailleurs bantous qui l'accompagnaient : Luzolo, Lumala, Asonga, Mbaambi, Koongo, Mbala et Tamila. Ils échangèrent quelque peu, lui sur la Belgique, eux sur leurs régions et villages respectifs. Il leur expliqua le but de son expédition, quelques principes de base de géométrie, Xi Xiao servant parfois d'intermédiaire entre eux. Ils lui expliquèrent leurs croyances, vulgarisant le système complexe des Esprits, l'avertirent de ceux qu'ils rencontreraient, de celui qui déjà s'était emparé de lui et lui rongeait le corps. Claes demeura d'abord interdit, puis leur confia une partie de sa souffrance. Ils lui confièrent une partie de la leur. Claes dit qu'il ne pourrait bientôt plus répondre de lui. Ils répondirent qu'ils le savaient et que seul un sorcier puissant pouvait lui venir en aide. Claes leur promit qu'il ne leur ferait pas de mal.

•

Le poste de Mokoangai était minuscule et consistait en deux paillotes délabrées qu'étaient censés habiter deux agents en poste depuis une quinzaine de mois. Claes fut d'abord surpris par l'hygiène déplorable du lieu. Des détritus de toutes sortes jonchaient le sol dont s'élevait une odeur immonde de merde et de mort. Des restes de feu, épars, mangeaient la terre qu'une colonie de poules achevait de rendre noire et puante. Deux taureaux faméliques étaient attachés en plein soleil à un petit arbre. Les lanières de cuir qui les retenaient avaient rongé leur peau en escarres, dessinant de vastes lésions prurigineuses macérant au soleil et que harcelaient de grosses mouches. Trois chiens souffreteux dormaient à l'ombre d'une des cases, ayant à peine ouvert l'œil à l'arrivée des visiteurs, écrasés par la chaleur. Claes fut immédiatement surpris par l'absence de travailleurs noirs. Le poste semblait absolument vide. Il fit signe à Xi Xiao de le suivre et arma son fusil de chasse. Après avoir libéré les deux taureaux, les deux hommes s'approchèrent de la première paillote, laquelle n'était pas fermée. Une odeur d'urine et d'excréments se jeta sur eux avec la violence de la quarantaine de degrés qui la portait. Claes surmonta son haut-le-cœur et s'introduisit à l'intérieur. Bientôt ses yeux s'habituèrent à l'obscurité. Une douzaine de cadavres vivants le regardaient. Des femmes, des enfants, des hommes, attachés par un imbroglio de chaînes, recouverts de mouches. Plusieurs étaient mutilés, des mains manquaient, des pieds aussi.

Claes remarqua alors que plusieurs des enfants étaient morts depuis plusieurs jours, le ventre prêt à éclater. Le silence était absolu. Claes s'approcha et tira dans la chaîne. La balle ricocha. Un second tir. La chaîne éclata. Personne n'avait sursauté. Le bruit et la poussière retombèrent. Certains des corps commencèrent à se mouvoir, à lentement se dégager de l'amas de métal rouillé, s'étirant avec peine, frottant faiblement leurs muscles. Une femme se leva, puis un homme, puis d'autres, les plus faibles s'appuyant sur eux. Sans un mot, emportant les cadavres d'enfants, tous sortirent en un cortège silencieux, pour s'éloigner et disparaître dans la forêt.

Claes retourna au *Fleur de Bruges*, fit décharger son stock et descendre ses hommes. Il ne dit rien de ce que Xi Xiao et lui venaient de voir. Le vapeur fut chargé de bois à brûler. Claes, d'un geste, désigna Asonga pour accompagner Mads Madsen jusqu'à Zongo, où un équipage plus adéquat lui serait fourni. Les adieux furent faits. Le petit vapeur se laissa emporter par la rivière. Claes ordonna que l'on fît un feu. Il rechargea son fusil.

Une heure à peine après le départ du *Fleur de Bruges*, deux silhouettes apparurent à l'orée de la forêt. Deux Blancs s'approchaient, trainant derrière eux le cadavre d'un jeune léopard. Claes leur fit signe et s'approcha, fusil à la main, pointé vers le sol. Arrivé à portée des deux hommes, il épaula et tira dans la tête de celui à sa gauche, qui s'effondra. Il pivota, le fusil toujours en joue, et abattit le second, qui poussa un court cri avant de voler à terre. Claes revint près du feu et s'assit en silence parmi ses hommes. Après quelques minutes, Luzolo leva la main et demanda s'il pouvait cuisiner le léopard. Claes répondit que oui. La nuit venait de tomber, sans prévenir, ainsi qu'elle a pour habitude de le faire dans les régions voisines de l'équateur.

VANDERDORPE S'ATTARDAIT à Équateurville. Il n'avait aucun moyen de remonter vers le nord à la rencontre de Pierre Claes. Il avait obtenu de Lemaire l'autorisation d'occuper l'ancienne paillote du géomètre à sa guise et aussi longtemps qu'il le souhaiterait. Le commissaire du district de l'Équateur connaissait Vanderdorpe de réputation. Un des hommes de confiance de Klein père. Un des premiers Blancs sur le terrain. Une sorte de héros méconnu. Il avait été du côté des Français au début, il avait même connu Brazza. Lemaire avait tout de suite vu que Vanderdorpe était dévasté par la malaria. Il s'attendait chaque matin à ce qu'on lui annonce que l'homme avait été retrouvé mort, recroquevillé de froid sur son lit de camp, les culottes conchiées et les yeux croûtés de sel. Mais Vanderdorpe ne mourait pas. Il s'éternisait à l'ombre de flamboyants en fleurs, fantôme de fantômes qui ne voulait pas quitter le monde, préservant ses chairs diaphanes par la fumée de sa pipe, les maintenant à l'orée de la mort et de tous les temps. Les hommes l'observaient de loin et, la chaleur extrême agitant et déformant son image, pensaient assister à la pulvérisation silencieuse de quelque homme saint abouti en extase. Ils étaient loin de penser qu'en son silence Vanderdorpe se concentrait tout entier sur l'image éblouissante de Manon Blanche, l'embrassant une seule et unique fois, pour lui échapper à jamais, dans les rues de Paris.

Vanderdorpe était rentré boulevard du Temple, le canotier à la mue de serpent entre les mains. Ivre de tout, il s'y était anéanti sur le divan du salon, de sommeil d'abord, puis de rêveries infinies, au goût du souffle de Manon Blanche et de ses lèvres de pêche fendue. Hébété et interdit, il démontait et remontait inlassablement la mécanique de ce baiser infiniment plus grand que lui, infiniment plus grand que Paris même dont il contenait toutes les larmes, les rues et le ciel. Manon Blanche. Manon. Blanche. L'écrasement d'une planète sur son étoile. Il y perdait jusqu'à son nom remplacé par ce scintillement infiniment éloigné : Manon Blanche. Comme la certitude d'être seul, par-delà les temps et les distances, extraordinairement absent, extraordinairement en retard et hors de la grâce révélée comme beauté sous le nom de son Dieu : Manon Blanche.

Un après-midi, Vanderdorpe se leva du divan pour se rendre chez Verlaine. Il le trouva confortablement assis dans le salon familial, occupé à feuilleter un almanach de province. Ils se rendirent tous deux dans un café voisin et se soûlèrent violemment. Vanderdorpe confia sa situation à Verlaine. Il lui dit qu'il pensait être l'objet d'une malédiction supérieure, de la vengeance, peut-être, d'un dieu jaloux. Verlaine lui dit qu'il le comprenait, qu'il était lui-même victime de l'influence néfaste de Saturne et que la fauve planète lui avait dérobé son amour. Ils se prirent dans les bras en s'appelant *frères* avant de tituber boulevard du Temple où Verlaine découcherait de nouveau. Le lendemain, nauséeux et affaibli, le poète fit promettre à Vanderdorpe de revenir le voir, mais avant, de reparler, ne serait-ce qu'une fois, à Manon Blanche.

Midi s'enflammait sous le soleil d'Équateurville. Vanderdorpe ferma les yeux.

Manon Blanche lui avait accordé un rendez-vous, tôt le matin, au Jardin du Luxembourg. L'air était frais et le jour magnifique comme il peut l'être en automne. Vanderdorpe avait remonté le jeune boulevard Saint-Michel, surpris de voir Paris à une heure si matinale, déjà prête pour le jour, qu'elle contenait en son ciel, prêt à glisser sur ses toits pour tomber à ses pieds. La ville entière à vrai dire ne lui apparaissait que comme le décor d'un théâtre, irréel et replié en lui-même, comme le sont les rêves. Dans le Jardin, déjà les feuilles tombaient. Sur les bords du bassin, Manon Blanche attendait. Vanderdorpe s'assit auprès d'elle. Manon Blanche ouvrit grand pour lui ses yeux verts cernés de noir et le laissa les observer. Vanderdorpe les regarda longtemps. Il en scruta la fine brillance humide et les iris nervurés. Au centre de chacun, comme en une galaxie, reposaient les pupilles impossibles dont ne ressort aucune lumière, prisonnière à jamais. Vanderdorpe en déchiffra longuement chacune des lueurs, en interrogea le passé. Il sentait obscurément que sa vie lui était volée. Une eau fragile ombra la cornée et s'écoula en larme jusqu'au sourire des lèvres. Manon Blanche demeurait immobile et secrète. Le soleil s'élevait maintenant assez pour éblouir le ciel. Un souffle léger passa, charriant l'odeur de l'eau, de l'amour et des feuilles mortes. Puis à nouveau le silence.

— Vous ne m'aimerez donc pas ? demanda Vanderdorpe d'une voix émue.

— Non, lui répondit tristement Manon Blanche.

Elle lui prit la main avec douceur.

— Au revoir, mon ami...

Manon Blanche se leva et s'éloigna. Vanderdorpe ne dit rien. Quelques heures plus tard, à la sortie des écoles, des enfants jouaient au bord du bassin du Jardin du Luxembourg. Parmi eux, Vanderdorpe sanglotait en silence.

•

Armand Ruymbeck offrit à son ami de l'héberger aussi longtemps qu'il en aurait besoin. Il avait assez d'argent pour deux, et la vie d'art et de plaisirs qu'il se proposait de mener dorénavant n'était en rien incompatible, bien au contraire, avec cette présence amie qui lui rappelait ses années estudiantines. Le soir, Vanderdorpe rejoignait Verlaine, et les deux se rendaient dans quelque café où ils s'assommaient à l'absinthe. Paris se fanait avec l'automne puis se solidifia dans l'hiver, seulement réchauffée, ici et là, par quelques foyers de volupté en lesquels Vanderdorpe ne pouvait s'empêcher d'imaginer Manon Blanche, retournée et détroussée avec délices sur une ottomane à la corbeille craquante surplombée de livres justes et fort bien écrits dont les beautés gardaient jalousement des plaisirs élyséens, dont il était à jamais exclu. La douleur, si vive et si intense, qu'il ressentait alors le jetait à terre où il se complaisait à rester, suffoqué par la grimace hystérique qui rompait son corps. Verlaine, galvanisé par cette horreur, hurlait et crachait, insultait son ami et le frappait, maudissant les badauds qui s'attardaient au scandale. L'incident passé, Verlaine suppliait Vanderdorpe de le pardonner et de l'aimer encore.

Les jours passèrent en vertiges d'angoisse et de nausée. Au printemps, Vanderdorpe et Ruymbeck partirent dans le sud. Ils séjournèrent à Aix-en-Provence, puis dans l'arrière-pays où Vanderdorpe retrouva un semblant de paix. Il se remit à lire. À penser. Il se souvint de Camille Claes et du petit Pierre. Imagina un retour à Bruxelles. La campagne provençale se réveillait. Odeurs et fleurs comme un pardon. Le ciel de printemps comme une mort habitable. Vanderdorpe songea à s'établir à Aix comme médecin. Cela ne dura qu'un temps. L'été vint. Il voulut retrouver Paris. Il revit Manon Blanche. Voulut la suivre comme un chien. Souffrant partout en sa lumière et dans son ombre.

L'état de santé de Baudelaire s'était gravement détérioré. Paralysé, aphasique, le poète rageait de colère et de souci dans la moiteur d'août, par épisodes, comme autant de sursauts de haine envers sa vie, avant de retomber dans l'état d'hébétude végétative qui constituait l'essentiel de ses jours. Il jouissait alors de son état de plante, de cette réincarnation déjà accomplie venant confirmer, dans ce qui lui restait de conscience et de souvenirs, les systèmes religieux d'Orient dont il avait eu vent quelques années plus tôt. Une fois par jour, Manon Blanche se rendait à son chevet et, une heure ou plus parfois, lui parlait de sa voix légèrement grave, lui parlait d'elle, lui confiant ses secrets érotiques, comme un cadeau d'adieu, un présent de la vie à la mort. Elle passait alors une éponge humide et iodée sur le visage et les bras du poète, l'allégeant ainsi des lourdeurs orageuses. Baudelaire, à ces caresses, s'élevait hors du monde, s'adonnait à la pureté, se réconciliait avec l'idée de Dieu. Son sexe impotent parfois jouissait, seul, sans autre stimulation, écoulant une semence pleine de vie comme une larme de bonne nouvelle. Devant ces larmes d'évangile, Manon Blanche produisait les siennes, ruisselantes jusqu'à sa gorge. Le poète s'endormait alors, un peu plus mort. Un peu plus hors du temps.

Vanderdorpe jalousait viscéralement cette attention que Manon Blanche portait à Baudelaire. Non qu'il sût le détail de ces rendez-vous, mais il pressentait, à la manière dont la poète en parlait, toute l'importance que ceux-ci revêtaient pour elle. Manon Blanche prit le parti de convier Vanderdorpe auprès du moribond. Un soir de fin août, Vanderdorpe accompagna donc la jeune femme au chevet de Baudelaire. Madame Aupick, la mère du poète, était là qui veillait son fils. Charles Asselineau, un ami, était avec elle. Baudelaire semblait inconscient, respirant avec la régularité d'un homme endormi. Près de la fenêtre, un bac de verre aménagé de quelques pierres et de branchages abritait la fameuse couleuvre. Celle-ci ne dormait pas, allant et venant incessamment le long d'une des parois. Elle chassait une proie absente. Vanderdorpe s'approcha pour observer ses yeux vides de prisonnière, comme deux boutons d'angoisse pris dans la pâte de la vie.

— Voulez-vous la prendre ? demanda Manon Blanche. Elle est très douce... Elle sent le musc...

Vanderdorpe fit non de la tête.

Madame Aupick et Charles Asselineau discutèrent un moment de l'état de Baudelaire avec Manon Blanche puis, la remerciant de ses bons soins, s'en allèrent dîner. Manon Blanche prit place auprès du malade et Vanderdorpe s'assit dans un fauteuil, à côté du vivarium. Ils gardèrent le silence. Manon Blanche commença à humecter le front du poète. Baudelaire ouvrit les yeux et les posa sur Vanderdorpe. Son regard était celui de la couleuvre. Vanderdorpe pouvait l'entendre bruisser entre les parois de verre. Manon

Blanche parlait à voix très basse, la tête penchée contre celle du mourant. Le soir tomba. La pièce n'était éclairée que d'une simple chandelle. Au moment de jouir, Baudelaire poussa un faible gémissement. Ses yeux de serpent se dilatèrent, énormes et obscènes, comme ceux d'un nourrisson privé d'oxygène. Manon Blanche semblait remuer ses cuisses, les frotter l'une contre l'autre. Ondulante. Fébrile. Une odeur d'urine et de musc envahit la pièce. Le silence. Manon Blanche entreprit alors de laver l'entrejambe du poète avec un peu d'eau et du savon. Il s'était conchié. Vanderdorpe tourna la tête. L'ombre de la couleuvre, nerveuse et tendue, poursuivait ses allers-retours de condamnée.

Manon Blanche et Vanderdorpe s'étaient quittés sans rien dire. Vanderdorpe ne but pas ce soir-là. Il vomit toutefois au réveil le lendemain, triste et sale. Ce n'était pas les réalités de la maladie qui l'avaient choqué. En tant que médecin, il en avait vu d'autres, et de pires. C'était une chose beaucoup plus angoissante, extrêmement perturbante, sur laquelle il n'arrivait à poser ni mots ni images. Agité et anxieux, il fumait, marchait d'une pièce à l'autre, collant son visage aux fenêtres donnant sur la rue. À un moment, il ne tint plus. Il s'habilla et se rendit à la maison de santé du 1 rue du Dôme où était la chambre de Baudelaire. Il frappa à la porte. Une infirmière lui ouvrit la porte. Un peu plus loin, derrière elle, était madame Aupick. Elle l'aperçut et accourut vers lui en parlant très vite :

— Monsieur Vanderborte, mon fils vient de mourir... Mon fils est mort... Cela vient d'arriver... Mon fils est mort... Il était onze heures... Monsieur Vanberbotte, mon fils est mort.... Mon fils est mort.... Juste là... Monsieur Vanderbdorb, mon fils, il était onze heures... Mon fils est mort...

LA MORT DE BAUDELAIRE affecta profondément Manon Blanche. Elle quitta Paris peu après les funérailles du poète pour retourner en province auprès de sa mère et de ses sœurs. Vanderdorpe l'apprit d'une connaissance qu'ils avaient en commun. Ce retrait soudain de Manon Blanche de sa vie lui fit d'abord l'effet d'un coup de poignard. Les images qu'il avait conservées de la veillée du poète mourant le hantaient sans qu'il puisse pour autant donner un semblant d'explication à ce malaise persistant.

Paris continua de vivre sans Manon Blanche. Vanderdorpe aussi. L'automne passa et avec lui les douleurs vives. Vanderdorpe se remit à exercer la médecine, de façon plus ou moins clandestine, pratiquant des avortements, soignant des hors-la-loi, opérant à bas prix à l'arrière de quelques boutiques malhonnêtes. Il le faisait autant pour l'argent – relativement peu au final – que par un sens aigu du tragique. La médecine, sa première passion, était devenue pour lui une pratique semi-spirituelle, une occasion de scruter les incarnations de la souffrance, une sorte d'art divinatoire pratiqué à même les chairs et les histoires dans lesquelles il cherchait les explications de sa propre douleur. Il continuait de fréquenter Verlaine et de boire à outrance, ce qui ne l'empêchait pas d'inciser, de recoudre, de panser avec une précision et un professionnalisme dignes des hôpitaux de l'assistance publique. Il pouvait se réveiller avec la pire des nausées, tremblant et trébuchant, et opérer quelques heures plus tard une fistule anale ou drainer une plaie purulente avec calme et dextérité. Il se fit bientôt une réputation de médecin des pauvres, apprécié de plusieurs et acquérant la bienveillance populaire. Vanderdorpe évoluait ainsi entre deux milieux, fréquentant la nuit les milieux littéraires en compagnie de Verlaine et de Ruymbeck, pratiquant la médecine le jour auprès du petit peuple. Il eut quelques maîtresses, dont la femme d'un banquier, très riche et très éprise. Il ne s'attacha à aucune.

L'année 1868 s'écoula, redonnant un semblant de sens et de dignité à ce que Vanderdorpe appelait *sa vie morte*. Il apprit par Ruymbeck que Manon Blanche était partie à Londres, où la traduction de ses poèmes avait connu un vif succès. Il parvint à ne pas y penser. Il se lia d'amitié, au cours de l'une de ses beuveries, avec un jeune étudiant italien, Pietro Paolo, qui suivait les cours du collège Sainte-Geneviève à Versailles pour pouvoir intégrer par la suite l'école navale de Brest. Pietro Paolo lui parla de l'Afrique et de l'Asie, qu'il voulait explorer. La mode s'en venait à l'ailleurs. On commençait à parler d'aventure, que l'on déclinait en romans pour les plus jeunes. Le symbolisme montant s'éprenait des rêveries coloniales, cherchant dans le lointain la figuration possible d'un sublime retrouvé. Baudelaire lui-même avait voyagé et Vanderdorpe avait été marqué par ses flores tropicales, ses navires bercés et ses dames créoles. À mesure qu'il parlait avec Pietro Paolo, il devinait que sa souffrance appelait cet ailleurs, aspirait aux langueurs et indolences qu'il promettait, dans l'éclat doré d'un soir arrêté et d'une mort parfaite.

•

Au printemps 1869, Manon Blanche revint à Paris où elle séjourna quelques semaines. Vanderdorpe parvint à l'éviter, mais ne put résister à l'envie de prendre de ses nouvelles. Il apprit qu'elle était amoureuse. Manon Blanche avait rencontré à Londres un poète, Andrew Collins, dont elle appréciait l'œuvre et avec lequel elle avait d'abord entretenu une correspondance littéraire. Les deux s'étaient rencontrés, disait-on, pour ne plus se quitter. La nouvelle coupa le souffle à Vanderdorpe. Il venait définitivement de se faire voler sa vie. Chaque possibilité de complicité sensuelle et sexuelle de Manon Blanche avec ce poète lui arrachait ses possibilités à lui de présence au monde. « L'amour, dit-il à Verlaine, est le décentrement de l'existence par l'être aimé. L'amour déçu est la néantisation de l'être au monde. » L'axe central et absolu de ce monde passait par ce point secret, relégué à l'impossible, recélant l'intimité, le plaisir et la mort de l'être qu'il aimait, et dont il était donc jaloux, jaloux d'être mieux qu'il ne l'était lui-même, d'être lui autrement, féminin et supérieur, le vouant au suicide en sa nullité révélée ; l'axe central et absolu de ce monde passait ainsi loin de lui, hors de lui, lui dérobant le pays vrai, la terre où il eût dû mourir et où il n'avait pu naître, le giron tiède de Manon Blanche. Ivre et agité, Vanderdorpe proclamait qu'il n'y avait de cerveau qu'entre les cuisses et les fesses. Il n'y avait rien de grand, il le voyait bien, qui n'originait pas des zones odorantes ; aucune âme digne d'idée et de beauté qui ne partageait pas ce courage et ce goût de coller son visage aux orifices et conduits obscènes où s'agitaient, parmi les poils et les boursouflures, les larmes et les rêves de plaisir et de peine et toutes les vulnérabilités. Le sexe de tout homme était la dégradation monstrueuse d'un petit garçon, le sexe de toute femme celle d'une petite fille, chacun une source insupportable de beauté vraie, de tendresse et de mort, dont ne pouvaient jouir, en dernier lieu, que les élus de l'amour en leur Olympe, dont Vanderdorpe était déchu et banni sans possibilité de rachat.

Le soleil rougeoyait, noyant la forêt de cris d'oiseaux et de singes. Vanderdorpe fumait lentement, persuadé d'être arrivé à l'instant de sa mort, ce soir arrêté que certains poèmes et le rire juvénile de Pietro Paolo lui avaient fait entrevoir. Même à la verticale de la ligne reine qu'est celle de l'équateur, Vanderdorpe n'était nulle part. Les diarrhées sanguinolentes qui le saisissaient avec une violence chaque fois accrue ne suffisaient pas à le fixer. Évanoui de la vie, ni père ni amant, il s'étiolait en rêveries et en regrets sous les flamboyants frémissants.

•

La nouvelle des amours heureuses de Manon Blanche renvoya Vanderdorpe aux terribles souffrances qu'il avait un moment réussi à endiguer. Il entreprit, au moyen de l'alcool, de saborder systématiquement sa vie, accompagné en cela par Verlaine qui sombrait de son côté dans l'hystérie et la violence. Broyé par de longues crises d'abattement, Vanderdorpe fut bientôt dans l'incapacité d'exercer la médecine. Il lui arrivait de boire jusqu'au délire. Un soir, avec Verlaine, ivres au dernier degré, il tenta de tuer Ruymbeck avec un morceau de vitre pour ensuite, hurlait-il, lui ouvrir le ventre et en sortir les œufs d'or. Ruymbeck riposta avec un pistolet. Il tira et blessa Vanderdorpe au torse. Verlaine prit peur et s'enfuit. Le poumon droit perforé, Vanderdorpe fut conduit en urgence par son ami auprès d'un médecin célèbre qui parvint à le sauver. Ruymbeck prétexta un incident, ne voulant pas plaider une légitime défense qui aurait incriminé son ami. Vanderdorpe fut reconduit chez Ruymbeck où il demeura deux semaines entre la vie et la mort, deux semaines dont il ne garda aucun souvenir, si ce n'est une sensation diffuse de vérité intellectuelle. À son réveil, Ruymbeck était à son chevet, les yeux humides, lui tenant la main qu'il colla alors à sa bouche. Les deux se regardèrent, toujours se taisant. Puis Vanderdorpe rompit le silence.

— Comme vous devez me haïr, mon ami...

— Moins que vous ne vous haïssez vous-même... En réalité, je ne vous hais point... Comment peut-on haïr un homme qui souffre ?

Vanderdorpe, du bout de ses doigts faibles, lui pressa légèrement la main. Pour la première fois depuis longtemps, il sourit. Dehors, il était seize heures, il était octobre et l'on pouvait entendre les roucoulements aigus d'une nichée de pigeons qui s'étaient établis sous la gouttière du vieux toit.

Verlaine, le même été, dans un autre accès de violence, avait tenté de tuer sa mère. Effrayé par son acte et récemment fiancé à une jeune fille dont il s'était épris quelques semaines plus tôt, il avait pris le parti de mener momentanément une vie sobre et rangée, s'éloignant de Vanderdorpe en qui il voyait le rappel honteux des frasques de ses mauvais jours. Cet éloignement fut également profitable à Vanderdorpe qui, refusant de devenir un danger pour ses amis, avait également fait le choix de la sobriété. Il n'en continuait pas moins de considérer sa vie comme morte, entrevoyant l'idée du suicide sans pouvoir s'y résoudre. S'il ne restait pas assez de vie pour vivre en Vanderdorpe, il en demeurait toutefois assez pour vouloir mourir en la vie. Menant chez Ruymbeck une vie de quasi-reclus, Vanderdorpe rêvait d'anéantissements sublimes desquels étaient *in fine* obstinément témoins, il le constatait avec impuissance, les grands yeux cernés de noir de Manon Blanche.

•

Manon Blanche sonna à la porte de Ruymbeck au début du mois de mai 1870. Elle était à Paris pour trois mois et, dit-elle, voulait prendre des nouvelles de Vanderdorpe, de l'amitié duquel elle s'ennuyait. Vanderdorpe crut voir là un signe du destin, la possibilité de racheter sa faiblesse et de conserver Manon Blanche dans sa vie par le moyen de l'amitié. Il se mentit avec rigueur pendant plusieurs semaines, se cachant à lui-même autant qu'il le put que son sentiment ne saurait se satisfaire d'aucune amitié ni d'aucune relation qui exclurait l'intimité des corps sans laquelle l'intimité de cœur, l'intimité de mort, si haute et si pure, à laquelle il aspirait ne pouvait être atteinte. Manon Blanche demeurait mystérieuse en dépit de la clarté du jour, muette en dépit de ses paroles, de plus en plus secrète à mesure de ses confidences, qui ne constituaient au mieux que le signifiant de son âme, détaché de son signifié, impossible et douloureux, audelà de tout soleil pour qui n'avait pas pénétré l'énigme de son amour.

Insensible aux tensions politiques européennes, gorgées de nationalisme et de capitaux, et dont la violence larvée se cristallisait alors autour de la vacance du trône d'Espagne, Vanderdorpe se perdit à nouveau en sa passion. Cette fois-ci, la dernière, il eut le privilège, en spectateur expérimenté de sa douleur, de se voir sombrer, de se voir souffrir à mesure qu'il aimait, de se voir aimer à mesure qu'il souffrait. Il comprit que Manon Blanche était double, à la fois prétexte de son amour et de sa souffrance et, de par sa beauté si fondamentalement sexuelle, enfantine et dérobée, nature de cette souffrance. S'il aimait aimer et aimait souffrir, et si Manon Blanche le lui permettait comme jamais cela ne lui avait été permis et ne le serait jamais plus, il n'en demeurait pas moins que Manon Blanche ne pouvait pas être réduite au rôle de simple agente de souffrance et d'amour, mais incarnait, dans sa quasi-divinité, l'image même de cette souffrance, de cet amour et de leur absolue nécessité. Il ne trouvait en cette pensée aucune consolation ; au contraire, l'existence même d'Andrew Collins lui rappelait que, pour d'autres, la vie pouvait être vivante. Vanderdorpe, dans la vision de sa souffrance, ne se consolait pas, mais se tétanisait, aveugle et muet, comme un homme au bord de la noyade, la tête aux trois quarts immergée, dans l'essai désespéré d'une dernière bouffée de vie.

Le 13 juillet, Vincent Benedetti, ambassadeur de France, était reçu par le roi de Prusse dans le but de clore l'affaire du trône d'Espagne. Ce jour-là, à l'occasion d'une promenade sur les quais de la Seine, Vanderdorpe fit une dernière fois l'aveu de ses sentiments à Manon Blanche. Manon Blanche soupira avant de lui confier qu'elle allait épouser Andrew Collins à l'automne. Le 19 juillet, la France déclara la guerre à la Prusse. Vanderdorpe vit Manon Blanche pour la dernière fois de sa vie.

•

Les trois années qui suivirent furent d'hébétude et de brouillard pour Vanderdorpe. Il s'engagea comme médecin du côté des troupes françaises – et non pas dans l'infanterie de ligne comme il l'avait laissé entendre, et comme la légende que l'on colporterait plus tard à son sujet, en Afrique, le faisait croire. Wissembourg, Frœschwiller-Wœrth, Noisseville-Servigny, Sedan; il assista à la débâcle française, amputant à longueur de journée nombre de jeunes gens qui n'avaient pas vingt ans. La France fut défaite. En mars 1871, Vanderdorpe rejoignit l'insurrection de la Commune. À Paris, il retrouva Verlaine, qui s'était marié et dont la femme attendait un enfant. Ruymbeck était parti en Amérique, suivant une danseuse au Canada francophone. La Commune fut l'occasion de nouveaux bains de sang pour Vanderdorpe. Insensible en apparence, il incisait, drainait, amputait, pansait, ne voyant dans l'ouverture béante des chairs que l'image négative et véridique de sa culture, de ses Lettres et de ses fleurs domestiquées. Des fentes sanguinolentes des plaies ressortait parfois un os endormi, comme la promesse d'un apaisement, la résolution énigmatique et inverse du mystère anxieux de la pénétration. Toute médecine de guerre, se surprit-il à penser, relève un peu de la gynécologie.

À la fin de la Commune, Vanderdorpe se cacha quelque temps, puis se fit oublier. Verlaine lui demanda de devenir le parrain de son fils. Il refusa. Verlaine fit la rencontre du jeune Arthur dont il s'amouracha et pour lequel il faillit se tuer. Vanderdorpe ne le revit plus.

Un jour, au hasard d'un café, il rencontra Pietro Paolo, de passage à Paris pour quelques jours. Il était devenu enseigne de vaisseau, avait navigué dans une unité combattante durant la guerre et avait obtenu la nationalité française. Il en avait profité pour franciser ses noms et prénom, se faisant désormais appeler Pierre Savorgnan de Brazza. Ses missions l'amenaient régulièrement en Afrique, au Gabon notamment, dont il avait pour projet de remonter le fleuve Ogooué. Il recherchait un médecin de bord pour sa frégate et offrit à Vanderdorpe de l'accompagner. Vanderdorpe embarqua à bord de la *Vénus* sous le nom de Van der Ghore, tenant à ne pas trop attirer l'attention des autorités françaises sur le passé insurrectionnel du médecin Vanderdorpe. L'influence de Brazza écarta toute difficulté à ce sujet.

En 1874, Brazza parvint à mettre à exécution son projet de remonter le fleuve Ogooué et débuta ainsi sa carrière d'explorateur qui allait le rendre mondialement célèbre, emmenant avec lui, dans chacune de ses expéditions, son fidèle médecin, le docteur Van der Ghore.

Pendant quinze années, Vanderdorpe sillonna l'Afrique de l'Ouest. Participant à sa colonisation, il fut témoin de l'hystérie maladive et haineuse des Occidentaux. Jamais il n'eût pensé auparavant que l'on pouvait insérer un bâton de dynamite dans l'anus d'un homme et l'allumer. Il se considérait comme mort et ne mourut pas. En s'installant comme médecin à Léopoldville, il reprit le nom de Vanderdorpe. Il se lia à la famille Klein. L'Afrique était violée, insultée et battue ; Vanderdorpe se prit d'affection pour le jeune fils de la famille Klein. Comme tous ceux du bon côté de la chicotte, il ferma les yeux ou feignit de les fermer. De Bruxelles à Léopoldville, il avait glissé comme une larme de sang.

En 1886, il partit en Angleterre avec le jeune Klein qui devait y étudier le commerce. À Londres, il revit quelques connaissances du temps de sa bohème parisienne et ne tarda pas à apprendre que Manon Blanche était morte en couches en 1871, à l'issue de sa première grossesse. Le jeune Klein lui demanda pourquoi il pleurait. Vanderdorpe lui confia sans détour le récit de sa jeunesse sauvage et de son amour déçu. Le 26 décembre 1888, tous deux repartirent de Liverpool pour le Congo.

La nuit était tombée sur Équateurville. Au matin, deux travailleurs indigènes préviendraient Charles Lemaire, commissaire du district de l'Équateur, que le corps d'un Blanc avait été retrouvé inanimé à l'abri d'un bosquet de flamboyants en fleurs.

PIERRE CLAES, SOUVENT, se réveillait en nage. Xi Xiao lui apposait alors un tissu humide sur le front, lui chuchotant dans sa langue des mots dont Pierre Claes ne comprenait que la douceur. Trois semaines s'étaient écoulées depuis Mokoangai. Personne n'avait reparlé de l'assassinat des deux colons ni de l'horreur des chaînes et des corps dans la paillote. Trois pirogues, amenées sur le *Fleur de Bruges*, permirent à l'expédition, réduite à huit hommes, de poursuivre la remontée de l'Ubangi. Claes avait limité le matériel au strict minimum. En cas de besoin, il était prévu qu'il engage des hommes supplémentaires au poste de Banzyville. Il ne ressentait aucune culpabilité d'avoir abattu les deux agents de Mokoangai. Il n'avait pas même pris soin de déplacer les corps. Les animaux s'en chargeraient. Pierre Claes était vide, de ce vide translucide s'effondrant sur lui-même au cœur des ouragans. Les fièvres s'agitaient à la surface de son âme comme de mortes tempêtes et, sombrant dans son angoisse, le jeune homme ne les entendait plus.

Si les six travailleurs indigènes appréciaient l'équité de traitement entre tous les membres de l'expédition que tentait d'instaurer le géomètre, il n'en demeurait pas moins qu'aucune complicité réelle ne s'était établie entre eux. Ils progressaient en silence, échangeant parfois quelques mots à voix basse. Luzolo, Lumala, Mbaambi, Koongo, Mbala et Tamila demeuraient, en dépit des quelques attentions de Claes, six Bantous arrachés à leur village et forcés à travailler à la ruine de leur pays et de leur culture. Le géomètre, lui, n'aurait su être véritablement autre qu'un colon belge mandaté par le roi Léopold II pour découper un territoire volé. Leurs rapports s'arrêtaient à cette barrière infranchissable. Quant à Xi Xiao, Chinois égaré, c'est l'amour qui le menait chaque jour parmi les nuées d'insectes, toujours plus avant dans l'insupportable touffeur africaine.

•

Ils atteignirent Banzyville au bout d'une quinzaine, le dernier poste belge significatif avant l'infini des jungles. Claes fut surpris de n'y trouver aucun Blanc. Le dernier lieutenant en poste était mort de la malaria et l'on n'attendait pas son remplaçant avant plusieurs mois. Le poste était tenu par des hommes de Tippo Tip, célèbre marchand d'esclaves natif de Zanzibar dont l'influence s'étendait sur toute l'Afrique de l'Est. Tippo Tip avait cheminé avec les grands noms de la colonisation africaine, Livingstone, Stanley, Von Weismann, avant de directement proposer ses services à Léopold II. Enrichi par la vente d'ivoire et d'esclaves, il s'était vu offrir le poste de gouverneur du district des chutes Stanley. Ses hommes, pour la plupart venus de l'est, tenaient les postes les plus reculés de l'État indépendant du Congo, que l'on ne parvenait pas toujours à pourvoir en commandement blanc.

Ali ibn al-Hassan el Marjebi, lieutenant de Tippo Tip, lui-même originaire de Zanzibar, accueillit Claes avec toute la déférence qui lui était due en tant que chef d'expédition mandaté par le roi. En un français maladroit, il l'invita, lui et Xi Xiao, à venir se rafraîchir à l'abri d'un toit de palmes. Ali ibn al-Hassan el Marjebi offrit à ses hôtes diverses décoctions de plantes et de racines agrémentées de fruits séchés. Un messager l'avait averti de la visite de Claes et il se félicitait de pouvoir lui montrer un poste parfaitement en ordre. La collation consommée, il conduisit Claes et Xi Xiao aux réserves d'ivoire et de caoutchouc, abondantes et de qualité. Ali ibn al-Hassan el Marjebi leur présenta ensuite avec fierté un petit jardin dont il s'enorgueillissait, tout particulièrement des navets et des carottes. Les constructions de torchis et les quelques tentes qui constituaient le camp semblaient relativement en ordre et Claes s'étonnait de ce que ce poste si éloigné fut l'un des mieux entretenus qu'il lui avait été donné de voir. Des chèvres et des poules vaquaient ici et là, braquant leurs yeux idiots et bienheureux sur le monde, fuyant le soleil à l'ombre solide des cases. À l'entrée de l'une des tentes paressaient deux mastiffs accablés de chaleur, veillant d'un œil triste sur la scène. À une dizaine de mètres à peine, au bout d'une petite plage de sable, les cataractes de l'Ubangi coulaient en clapotant, scintillant de fraîcheur à la surface de leurs eaux grises, courants édéniques fendant les herbes et les palmes. Claes réalisa alors qu'il n'avait pas vu encore un seul travailleur indigène. À peine avait-il aperçu quelques ombres humaines se mouvoir péniblement au sol dans un bosquet lointain dont la chaleur floutait la vision.

De retour à l'ombre des palmes, Ali ibn al-Hassan el Marjebi fit apporter toutes les cartouches tirées depuis sa prise de fonction ainsi que plusieurs dizaines de mains coupées, plusieurs fraîchement, celles-ci venant corréler l'usage parcimonieux et strict des munitions tel que l'indiquait le registre scrupuleusement tenu qu'il fit lire à Claes. Le registre tenait compte seulement des mains coupées pour justifier l'usage d'une munition, et non pas celles amputées vivantes par mesure punitive. Le géomètre, à cette lecture, prit la mesure exacte de sa déréliction et de celle de ses semblables. Chaque chiffre y était inscrit d'une écriture appliquée, chaque trait tracé à la règle. En face de chaque chiffre, le motif du tir : improductivité, vol, désobéissance, mutinerie, blasphème, et cætera. Quelquefois, Claes levait les yeux pour voir ceux de Ali ibn al-Hassan el Marjebi posés sur lui, mélancoliques et profonds, cernés de petites rides sèches. En les abaissant de nouveau sur le registre, il apercevait les mains de son hôte, propres et humbles, des mains qui avaient tué, des mains qui, probablement, avaient coupé d'autres mains. Claes regardait alors les siennes, assassines également, si jeunes encore et déjà perdues. Et à ses pieds, ces dizaines de mains mortes et noires, séchées par le soleil et repliées en autant de crabes, cachant par pudeur et par honte leurs lignes de vie au regard des vivants. Des mains dont les ongles avaient continué de pousser et dont les corps avaient disparu, emportant avec eux le jour et la nuit, les arbres géants et les cris animaux, le temps des regrets et la parole humaine. Ces mains hurleraient et perceraient le monde jusqu'à le déformer, l'étirant hors de toute mesure suivant l'attraction de leur cri ; elles se rendraient au berceau de chaque nouveau-né, au chevet de chaque vieillard, au seuil de chaque foyer pour porter l'horrible nouvelle, la portant à la barbe de Léopold II même, qu'elles finiraient par arracher, comme elles arracheraient chaque Christ de sa croix pour le gifler, le fesser et lui annoncer, rieuses, piailleuses et chantantes, comme les mésanges nègres du fleuve Congo, l'avènement de la Peur, de la Mort et de l'Apocalypse.

Claes reposa le registre, il en avait assez vu.

•

Pour ceux qui discutent encore, le plus souvent à mi-voix, de la légende de Pierre Claes – car ici commence véritablement ce qui, pour les âmes les plus sensibles, ayant trop tôt connu la perte, baignées d'eau dure et de flamme en lieu et place de lumière, devint une légende précieuse –, l'une des questions qui revient est celle de déterminer à quel moment exactement le géomètre bascula dans le domaine irrémédiable de sa décision. Certains prétendent que les meurtres de Mokoangai en marquent l'instant, d'autres remontent à l'épisode dépressif d'Équateurville, d'autres encore parlent des mains de Banzyville. Ce qui interroge les plus fins et acharnés exégètes de cette autre *ténébreuse affaire* – tenant compte, bien sûr, de celle de monsieur de Balzac – est la raison pour laquelle, après Banzyville, pendant quelques semaines encore, Claes mena, ou fit semblant de mener, avec sérieux et ténacité les activités de la mission qui lui avait été confiée. Or, il est presque certain qu'au départ de Banzyville le géomètre avait parfaitement conscience que l'expédition portant son nom serait vouée à l'échec. Le fait le plus probant de cet état d'esprit est qu'il ne demeura à Banzyville qu'une seule nuit et qu'il quitta le poste sans réquisitionner ni hommes ni vivres ni matériel, ce qu'en toute logique il aurait dû faire pour mener son périple jusqu'au bout selon les ordres qui lui avaient été donnés. Nous-mêmes, qui connaissons certains des secrets parmi les plus intimes de cette histoire, avouons bien humblement que la résolution exacte de ce mystère nous échappe. Tout ce dont nous sommes sûrs, c'est que Pierre Claes, Xi Xiao, Luzolo, Lumala, Mbaambi, Koongo, Mbala et Tamila reprirent leurs pirogues et poursuivirent leur remontée de l'Ubangi en dépit du manque criant de ressources.

•

Comme le jouet d'un rêve, Claes demeurait ignorant de la passion désespérée qui animait son corps écimé par les fièvres. Fantôme perdu, il remontait la rivière de plus en plus étroite, devinant parfois, sous l'opaque film de mal qui enveloppait son monde, une nature indifférente à toute conscience, étrangère à toute violence, insensible à toute innocence. Les jours et les nuits s'alternèrent comme des coups de masses. Les huit hommes en aventure passèrent successivement les stations d'Abiras, de Yakoma et de Bangasso sans histoires ni encombre pour aboutir au bout des eaux, là où la frontière de l'État privé du roi Léopold II était dépourvue de tracé physique, de ce tracé, précisément, qu'un jeune homme triste, natif de Bruges, devait lui donner en invoquant la clarté des étoiles.

Les huit hommes se mirent au travail. Xi Xiao assistait Pierre Claes qui, avec l'autorité des étoiles, l'infaillibilité de quelques instruments savants et certaines vérités trigonométriques, affirmait la ligne selon laquelle la fureur de l'homme blanc séparait les terres africaines pour en conquérir le cœur et en souiller l'âme. Chaque jour, le géomètre affinait les cartes, y reportant son œuvre lente de cisaille. Luzolo, Lumala, Mbaambi, Koongo, Mbala et Tamila pourvoyaient à l'indispensable reste, la survie immédiate, la vigilance, la chasse, la coupe des sentiers et le feu. Le soir, réunis autour d'un nouveau foyer, les huit mangeaient en silence. Puis les Bantous se réunissaient, un peu à l'écart des flammes, échangeant à voix basse, et leurs peaux bleues luisaient dans la demi-nuit. Pierre Claes et Xi Xiao s'établissaient alors sur quelque branche élevée surplombant la canopée depuis laquelle ils notaient la position des étoiles pour les travaux du lendemain. Pierre Claes rejoignait ensuite sa tente, toujours suivi de Xi Xiao. L'entrée d'épaisse toile refermée, tous deux se gorgeaient alors d'opium que le bourreau chinois préparait dans de petites pipes ressemblant à d'étranges flûtes, toutes de bois et de métal. Élargi de sa prison d'os et de chair par le sang du pavot, l'esprit de Pierre Claes vagabondait hors de toute souffrance, pour quelques heures au cours desquelles il tournoyait, de-ci de-là, comme une feuille au vent, autour de Xi Xiao, lui réclamant, nuit après nuit, comme le roi de Perse à Shéhérazade, des récits de *lingchi* emplis d'horreur et d'extase, de tendresse et de sang. Pierre Claes voulait tout savoir des derniers regards, des dernières paroles, des derniers soupirs de ces êtres réduits à peau de chagrin, une peau incisée, retournée, obscène et sacrée, univers inversé et sans fond, constellé d'étoiles noires comme autant de rubis fraîchement tués. Et Xi Xiao, à voix basse, racontait ce qu'il avait vu, ce qu'il avait fait, remplissant de nouveau les pipes qu'il allumait d'une minuscule braise rouge, luisante comme un œil. Et l'esprit de Claes rêvait à des pays de sang aux arbres de chair s'élevant vers la lune et au-delà, passant une à une les planètes et leur chant, chacune étant un crâne, une vie morte, et l'univers s'ouvrait à l'amour comme un fleuve embrasse la mer. Xi Xiao soufflait alors la flamme maigre et vacillante de la petite lampe à pétrole qui constituait leur unique source de lumière. Et la nuit, souveraine, s'enchantait jusqu'au lendemain.

•

Un soir, Xi Xiao n'eut plus de nouveau récit à raconter. Pierre Claes lui demanda à *être* la prochaine histoire. Pierre Claes demanda à Xi Xiao de lui tatouer sur le corps le tracé d'une découpe et de le *lingchéifier* au cœur de l'Afrique. Pierre Claes voulait être ouvert aux étoiles pour quitter l'horreur de sa vie. Cette demande, Xi Xiao avait, depuis toujours, su que Pierre Claes la lui ferait. Il avait, depuis toujours, su qu'il l'accepterait.

Le jour, Pierre Claes découpait les jungles. La nuit, à la lueur de la petite lampe à pétrole, anéanti par l'opium, il offrait son corps à l'art de Xi Xiao. Celui-ci y tatouait un dessin merveilleux suivant l'équilibre secret du corps et les limites de la mort. Penché sur la peau dorée du jeune homme, laquelle exhalait ses dernières odeurs d'enfant, le bourreau chinois dessinait les plans d'une découpe qui devait achever sa carrière, son amour et son monde. Chaque matin, Pierre Claes se réveillait un peu plus recouvert que la veille par l'étonnante prolifération d'arabesques spiralées, étranges et organiques, mimant la vie par le nombre d'or de leur perfection. Le géomètre se mit à vivre nu, paré comme un dieu ancien d'extravagants motifs d'encre noire. Ses fièvres avaient cessé. Il remangeait avec appétit. Sous le regard impassible des travailleurs indigènes, il poursuivait son œuvre de cartographe, progressant sans relâche et avec application, s'esquintant les yeux à l'observation des étoiles et s'épuisant dans les calculs. Et chaque soir, à nouveau, Xi Xiao, parcourait de ses mains habiles et caressantes ce corps nu, rompu par l'effort, le chagrin et l'opium.

Un soir, après le repas, Pierre Claes s'était éloigné quelque peu du campement afin de rejoindre une clairière d'où il pouvait observer le ciel. La jungle vivait de sa vie nocturne, prédatrice et insectueuse. La lune était pleine. Pierre Claes entendit alors une branche craquer derrière lui. Il se retourna vivement, appréhendant la présence de quelque félin nocturne à l'affût. L'obscurité, quoiqu'illunée, ne lui permettait pas de voir plus loin qu'un mètre ou deux. Le jeune homme arma son fusil et attendit, immobile et silencieux. Scrutant le noir, il y distingua soudainement un regard. Il eut un sursaut. Une forme semi-humaine émergea alors de la nuit, étrange et voûtée. Pierre Claes reconnut Léopold le chimpanzé.

— Léopold, mon ami, que fais-tu là ? Tu nous as donc suivis ?

Léopold garda le silence. Il avança de quelques pas et tendit la main à Pierre Claes, qui lui donna la sienne.

Léopold la ramena à son visage contre lequel il la tint. Pierre Claes devina que Léopold pleurait. Il ferma les yeux. Tous deux se figèrent, un long moment. Puis Léopold dit :

— Vaarwel, mijn lief.

Il disparut alors dans la jungle, bondissant et hurlant.

Vaarwel, mijn lief.

« Adieu, mon amour », en flamand.

Léopold avait parlé dans la langue maternelle de Pierre Claes.

Quelques jours plus tard, à l'aube, Xi Xiao achevait la dernière ligne du tracé selon lequel il devait tuer son amour. Pierre Claes, qui s'était endormi, ouvrit les yeux. Il vit Xi Xiao. Xi Xiao tenait une lame dans sa main gauche, il s'était dévêtu. Les deux hommes s'observèrent comme des amants. Au-dehors, doucement, la jungle, à la faveur des étoiles, émergeait du noir de la nuit pure.

•

Xi Xiao n'alla pas jusqu'au bout. Il n'eut pas la force de perdre Pierre Claes. À mesure qu'il découpa son amant de sang, il vit dans les fleurs de chair, qui se repliaient le long des incisions, les pétales d'une fleur plus grande encore, obscène et oppressante. Il vit la mort de l'amour et la solitude infinie du dernier être sur Terre. Xi Xiao n'eut pas le courage de perdre ce corps que son art métamorphosait bien au-delà de ses possibilités de tristesse. Claes avait choisi de mourir dehors, au pied d'un arbre immense. Œuvrant à la lumière de l'aube, le bourreau rendait le géomètre au monde, le retournait à la glaise primordiale dont les prémices lui étaient offertes par cette jungle regorgeant de vie et de mort, transpercée de soleil jeune. Xi Xiao n'eut pas la force d'aller au bout de cette lumière.

Au lieu de cela, Xi Xiao posa le regard sur la cassette de bois rare contenant le nécessaire au tatouage et à la découpe qui l'accompagnait depuis toujours. La cassette était bien plus ancienne que lui. Son maître, qui la tenait lui-même de son maître, la lui avait donnée la veille de son départ. Cette cassette, lui avait-il dit, et d'autres identiques étaient nées avec l'art de la découpe humaine. Elles contenaient en leur bois les destins de chacun des maîtres tatoueurs-découpeurs, passés, présents et futurs. L'art des bourreaux de Chine était un art de la destinée et de la divination. L'art de la découpe humaine impliquait de déceler l'avenir en toute chose. À la manière dont un maître-découpeur voyait en chaque homme les fleurs de chair qu'il obtiendrait de lui par la découpe, celui-ci voyait également en chacun des événements de la vie les fleurs de destin qu'il saurait cueillir à condition de découper la vie elle-même de par sa présence et ses actes. Plus largement encore, l'art de la découpe avait été conçu de façon à ce que les destinées de chacun de ses opérants fussent scellées par son exercice même. Chacune des cassettes incarnait cette prédestination et chacune était ornée d'idéogrammes particuliers précisant la trajectoire de vie de la lignée de bourreaux qui se la passaient de maîtres en disciples qui, à leur tour, devenaient maîtres. Agissant, le tatoueur-découpeur acceptait d'être agi par son art, et chacune de ses œuvres morcelait un peu plus son existence, modelant l'énigme de son destin. La cassette qu'avait reçue Xi Xiao était ornée des idéogrammes suivants :

暗黑

Ils signifiaient :

TÉNÈBRE

Xi Xiao, devant l'aube et le corps de son amant de sang, réalisa que son destin de ténèbre était son amour sans mot retourné à la nuit. Il suffoqua à cette pensée.

Xi Xiao avait cessé d'inciser et pleurait.

— Qu'y a-t-il, mon ami ?

Pierre Claes, ouvert et paralysé, était demeuré conscient.

Xi Xiao lâcha sa lame, s'empara de la cassette et, sans se retourner, disparut dans la jungle.

— Mon ami ?

Pierre Claes, près de la petite lame tranchante, se vidait doucement de son sang.

SECONDE EXPÉDITION CLAES

FÉVRIER 1892 – MAI 1892

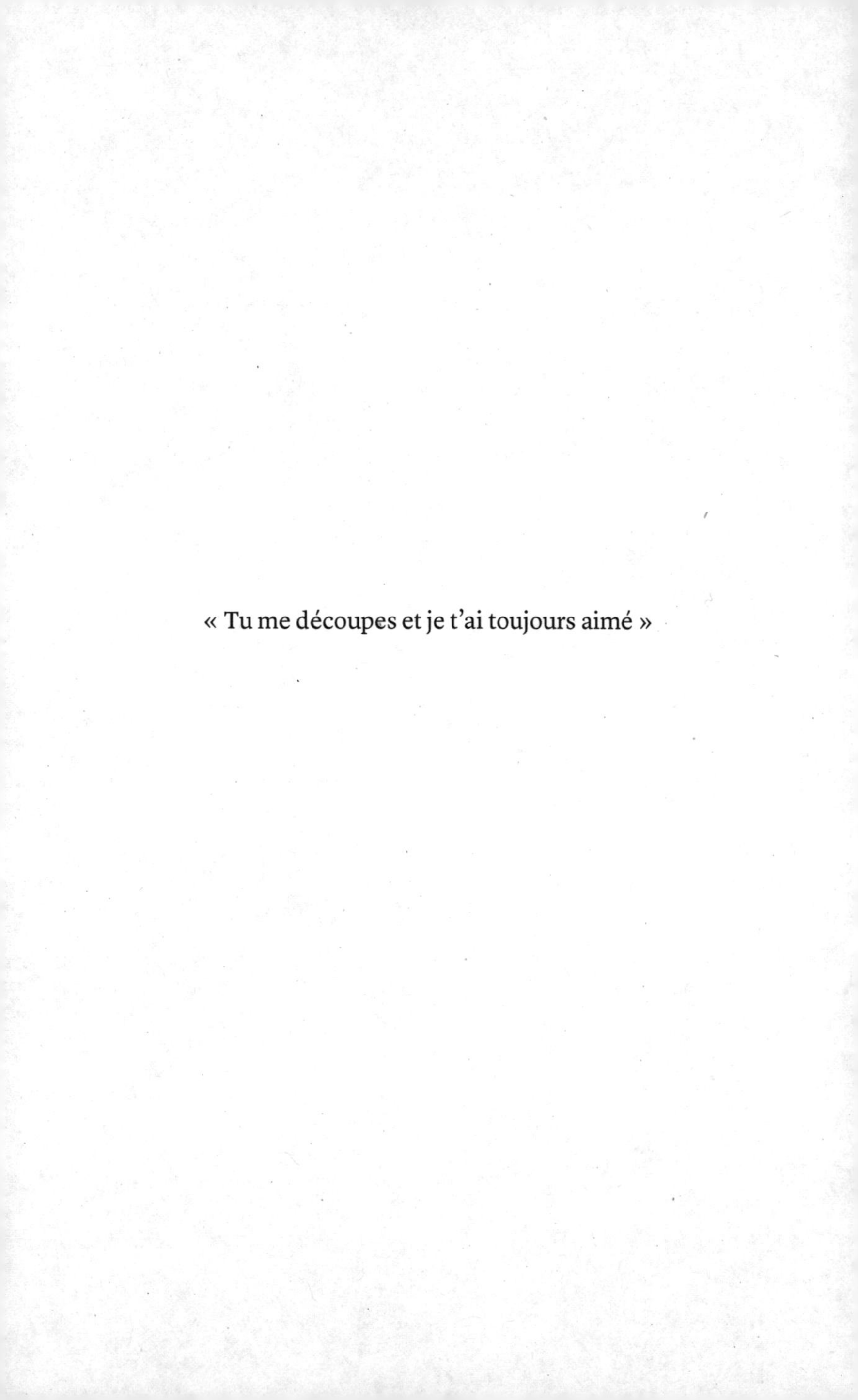

« Tu me découpes et je t’ai toujours aimé »

Au début de ma carrière, je ne voyais que le bœuf.
Après trois ans d'exercice, je ne voyais plus le bœuf.
Maintenant, c'est mon esprit qui opère plus que mes yeux.
Mes sens n'agissent plus, mais seulement mon esprit.
– TCHOUANG-TSEU

THOMAS BREL ÉTAIT LE DERNIER d'une lignée de fous et de visionnaires. Une de ses aïeules lointaines avait été brûlée comme sorcière. Son grand-père, Jans Brel, affirmait régulièrement voir, en lieu et place du ciel, une infinité de manteaux bleus comme celui de la Vierge, tronqués géométriquement en leur extrémité et s'embrasant devant un ciel d'une clarté croissante à l'infini. Cela ne l'avait pas empêché de mourir passé cent ans. Des années durant, il avait emmené son petit-fils marcher avec lui le long des canaux ou dans la campagne proche, lui pointant la lune du doigt, lui contant des histoires de lait et de sang. Thomas Brel en avait été vivement impressionné. Il avait gardé en lui, mêlés à jamais, les souvenirs de ces récits d'angoisse et l'image paisible et dorée des soirées flamandes, les uns se cachant en celle-ci, perçant parfois en un petit nuage rouge aux limites de l'abstraction, duquel émanaient, il l'avait imaginé, les sanglots de Dieu.

Durant ces mêmes années, celles de la fin de son enfance, le père de Thomas Brel, Hugo Brel, avait échoué à devenir un homme. Demeuré fantaisiste et enfantin, ce garçon imberbe et d'une gentillesse désarmante, qui trop tôt avait perdu sa mère, avait eu l'esprit envahi de voix multiples et dissonantes. Les animaux en particulier, disait-il, lui parlaient, lui annonçant la fin du monde. Il s'était alors mis à peindre. Boucher, comme l'avait été son père, il peignait son quotidien, les carcasses suspendues et les yeux éteints, les pavés de viandes et les monceaux d'abats que survolaient de grasses mouches bourgeoises.

Chaque soir, Hugo Brel s'asseyait devant de petits panneaux de bois, un broc de vin à ses côtés, et lentement il s'appliquait à les recouvrir de couleurs soyeuses, poursuivant plusieurs œuvres simultanément. Ainsi, il parvenait au calme et s'épargnait pour le lendemain les tourments de ce que l'on appelait *ses folies*. Cela ne dura qu'un temps. Devant ce qui s'apparentait à de la résistance, les voix s'acharnèrent et bientôt la peinture ne suffit plus à les contenir. Un soir, cédant brusquement à leurs injonctions furieuses, Hugo Brel s'était emparé d'un fendoir et avait d'un coup net sectionné ses testicules, lesquels il avait ensuite jetés au chien de son père. Le chien, après les avoir dévorés goulûment, lui avait alors aboyé : *Tue ton fils !* Hugo Brel avait tenu bon, il avait catégoriquement refusé. Mais chaque soir, dès lors, le bâtard mâtiné de sang épagneul revenait à la charge, se couchait sous la lourde table de bois de la cuisine familiale et murmurait sous ses babines : *Tue ton fils ! Tue ton fils !* Hugo Brel se sentait faillir. Il s'en ouvrit à son père qui accepta de donner le chien à la première personne qui en voudrait. Un marin de passage prit la bête avec lui et partit vers la mer, à Ostende, affirmant s'en aller en Amérique. Durant les semaines suivantes, les voix se turent. Hugo Brel se remit à peindre. Un jour, la nouvelle courut qu'un bateau parti d'Ostende et devant rejoindre New York avait sombré dans l'Atlantique. Hugo Brel eut en l'apprenant une obscure prémonition. Puis les saisons passèrent.

Une nuit de novembre, Hugo Brel entendit gratter à sa porte. Il essaya tout d'abord de ne pas y prêter attention, mais le bruit se fit persistant, jusqu'à devenir insupportable. Hugo Brel, à bout de nerfs, se leva et ouvrit la porte de sa chambre. Le bruit avait cessé. Il n'y avait, là d'où il avait émané quelques secondes auparavant, qu'une flaque d'eau verte d'où partaient de mystérieuses traces humides menant à la cuisine. Hugo Brel les suivit. Arrivé à la cuisine, il vit que la porte qui donnait sur l'extérieur était demeurée grande ouverte. Les traces se dirigeaient vers l'extérieur. Il continua de les suivre. Dehors il fut surpris de voir que la lune avait triplé de taille. Un de ses rayons fendit soudain le ciel pour s'écraser à terre, juste à ses pieds. Alors apparut le bâtard mâtiné de sang épagneul, ou plutôt son cadavre détrempé et auréolé de varech. Le cadavre du chien noyé avança droit vers Hugo Brel, dressant ses poils morts vers la lune complice. Arrivé à lui, il gronda d'une voix haineuse et profonde : *Tue ton fils !*

On retrouva Hugo Brel pendu le lendemain. Personne, durant la nuit, n'avait entendu de bruit ni relevé ce matin-là les restes d'une mystérieuse flaque d'eau verte, et encore moins aperçu errer le cadavre d'un bâtard mâtiné de sang épagneul.

La mère de Thomas Brel mourut peu de temps après d'une infection aux ovaires, laissant son unique fils et enfant porteur d'un douloureux désespoir. Jans Brel reprit la boucherie familiale et enseigna le métier à son petit-fils. La boucherie Brel demeura l'une des plus réputées de Bruges.

•

À la mort de sa mère, Thomas Brel prit l'habitude de se rendre régulièrement à la basilique du Saint-Sang de Bruges, laquelle recelait quelques gouttes du sang du Christ ramenées de Terre sainte par Thierry d'Alsace. Ce n'était pas le sang du Christ que Thomas Brel priait, mais plutôt la pietà du peintre qu'on appelait le Maître du Saint-Sang et qui était exposée dans la chapelle de la basilique. La ligne rouge que l'on y voyait descendre du flanc froid et doré du Christ le fascinait. Il se rappelait alors, presque interdit, le saignement qu'il avait aperçu couler le long du mollet de sa mère quelque temps avant qu'elle ne tombe malade. Dans son esprit ce sang était le sang du Christ du Maître du Saint-Sang, et le sang même des histoires de son grand-père, dans lesquelles la lune s'ouvrait, sanglante et laiteuse.

Thomas Brel n'avait pas souvenir d'avoir jamais vu sa mère ni aucune femme nue et l'origine obscure de cette coulée, cachée par la robe de drap épais, l'angoissait au plus profond. En priant la pietà de la chapelle du Saint-Sang, il entrait dans une sorte de transe dans laquelle il apercevait, en amont des jambes de sa mère, à la jonction de la fourche, la plaie saignante du Christ telle que l'avait peinte le Maître du Saint-Sang, légèrement courbée comme un croissant de lune, de laquelle émanait un trait rouge et droit, comme échappant à la gravité, signe de miracle. Et Thomas Brel, toujours agenouillé devant la pietà, suant des aisselles et du front, voyait alors le croissant de lune s'agrandir pour devenir un cercle plein puis se fendre en un méat de viande d'où s'écoulaient des flots rouges et blancs. Une peur acide et immense s'emparait alors de lui, une peur d'enfant, irraisonnée et irraisonnable, le laissant suffoquant et abandonné. Il sortait précipitamment du bâtiment sacré et s'abandonnait aux fraîcheurs de l'air extérieur.

Un jour de mai, tandis qu'il reprenait ses esprits au bord du petit bras de canal adjacent à la basilique, toutes les cloches de Bruges se mirent à sonner en même temps. Une douce chaleur irradia son corps et les tintements le portèrent en plaisir. Le jeune homme soudainement s'envola haut au-dessus de Bruges, plus haut encore que le beffroi de la Grand-Place, plus haut que les quelques nuages de printemps, tout près du soleil qui était son père, et le soleil lui dit que lui, Thomas Brel, lui son unique fils, entendait la musique entre les musiques, qu'il vivait la vie entre les vies, qu'il était comme une lame et qu'il périrait par la lame. Thomas Brel demeura interdit dans le ciel. Quand il reprit ses esprits, au sol, il découvrit que ses culottes étaient tachées de semence. Il venait, pour la première fois, de connaître le plaisir.

Thomas Brel revint moins souvent prier à la basilique du Saint-Sang. Les années passèrent ; de garçon il devint jeune homme, d'apprenti boucher il devint boucher. Il avait dix-huit ans en 1860. Jans Brel, alors à l'apogée de sa forme physique, dirigeait la boucherie familiale avec vigueur et bienveillance. Deux commis avaient été embauchés et l'on pensait en recruter un troisième tant les affaires étaient bonnes. Thomas Brel était passé maître dans la découpe des bœufs. Il aimait à rêvasser parmi les carcasses. À la surface humide de leurs viandes il voyait, comme déjà dessinées, les lignes selon lesquelles il allait opérer sa pratique, séparant l'aloyau de la bavette, la culotte de la semelle, le collier des joues. Le monde lui apparaissait prémorcelé, stable, sans secret. Le Christ du Maître du Saint-Sang était loin de lui et il ne voyait pas la mort dans les animaux dépecés. Il était parvenu à se placer dans le monde au prix d'un travail acharné, et trouvait quelques frissons de plaisir dans la contemplation des tableaux de son père. Il aimait profondément les bêtes et s'était attaché deux gros bouviers qui ne le quittaient jamais et qu'il aimait d'amour. Puis vint le mois d'avril ; Thomas Brel fit la rencontre de Camille Claes.

Camille Claes avait peu d'éducation mais connaissait la musique, la poésie et le dessin, chose peu commune alors pour les filles de son rang. Orpheline, elle avait été élevée par des sœurs, puis placée à l'âge de quinze ans comme domestique dans une famille française originaire d'Angoulême, la famille Cointet, qui avait fait fortune dans la vente de papier, papier dont elle détenait le secret d'une fabrication suivant un procédé à moindre coût. Certaines mauvaises langues de Bruges disaient à ce propos que les Cointet n'avaient pas inventé ce procédé, mais qu'ils l'avaient volé à un imprimeur du nom de Séchard, qu'ils étaient parvenus à mettre en faillite au moyen de manœuvres frauduleuses. Quoi qu'il en soit, ces on-dit n'avaient que peu de répercussion ; les Cointet étaient riches. Ils avaient accueilli Camille Claes à leur service avec la plus grande cordialité. Ils lui apprirent le français et une certaine façon de cuisiner qui n'était alors que très peu répandue en Flandres. Jeune fille sensuelle, Camille Claes se découvrit un talent et un goût particuliers pour la cuisine et maîtrisa rapidement le boudin à la viande, la daube saintongeaise enrichie de ventrèche ou les tripes à l'angoumoisine. Attachés à leurs origines gauloises, les Cointet s'approvisionnaient en viandes à la boucherie Touvrai, que tenait un couple de Nantais. Chaque lundi et chaque jeudi, Camille Claes y allait se fournir en porc, en bœuf, en agneau ou en volaille, au gré des recettes de la semaine.

Cette année-là, en même temps que Pâques, les Cointet célébraient la communion de leur cadet et avaient pour cela invité plusieurs de leurs parents de France. Madame Cointet avait prévu pour ses invités une fricassée de joue de bœuf aux anchois et, la semaine précédant la célébration, Camille Claes était allée commander huit kilogrammes de joue fraîche à madame Touvrai. Comme madame Cointet le lui avait demandé, elle avait insisté sur le fait qu'elle désirait de la viande de première qualité, précisant que si la boucherie Touvrai n'était pas certaine de pouvoir lui en fournir une telle quantité pour la date dite, une autre recette serait choisie, par précaution. Madame Touvrai lui avait assuré qu'elle aurait sa joue en temps et en heure, fraîche et tendre. Le jour convenu, Camille Claes passa récupérer la commande et rentra à la demeure Cointet pour commencer la préparation de son repas. Une fois en cuisine, le tablier passé, elle découvrit avec stupeur que sa joue avait été mêlée de gîte à la noix. La boucherie Touvrai n'avait pas réussi à obtenir les huit kilogrammes de joue demandée et, à la commande de Camille Claes, avait ajouté certains morceaux clandestins pour atteindre le poids attendu. Camille Claes s'en ouvrit à madame Cointet qui, soucieuse de l'impeccable contrôle des choses de sa maison, en fut furieuse. Elle courut chez Touvrai où elle fit un scandale en bonne et due forme, les yeux juste assez exorbités, la voix ronde, bourgeoise et enflée, puis elle se rendit à la boucherie concurrente, la boucherie Brel, qui lui vendit assez de joue pour combler son manque. La fricassée de Pâques y gagna grandement : non seulement la viande de chez Brel était meilleure que celle de chez Touvrai, mais aussi le prix en était-il légèrement inférieur. Dorénavant, les Cointet iraient chez Brel.

•

Fin et pâle, les cheveux très noirs, l'air juvénile et absent, des lèvres de fille et les yeux si clairs, Thomas Brel fut du goût de Camille Claes. Chaque lundi et chaque jeudi, jours de boucherie, elle se faisait un peu plus coquette qu'à l'habitude, peignant ses cheveux dorés avec soin, s'aspergeant de quelques gouttes du parfum que madame Cointet lui avait offert pour Noël. Le printemps devint été. Thomas Brel paraissait toujours aussi absent derrière ses yeux de loup. Un jour elle le vit, à l'arrière de la boucherie, en bras de chemise et transpirant, égorger un cochon qu'il avait suspendu et recueillir le sang noir qu'il fouettait comme une crème. Lorsqu'il se redressa, ses mains d'homme et son visage d'enfant étaient tachetés de sang. À la vue de cette image saisissante et violente, Camille Claes ressentit avec force l'envie d'unir son ventre à celui de Thomas Brel. Elle poursuivit son chemin, pleine de trouble. L'été autour d'elle faisait surgir d'innombrables fleurs sous la pression des sèves et les vieilles pierres de la ville semblaient confier à la rue les secrets d'amour qu'elles avaient, indiscrètes, en d'autres fois captés.

D'intérêt amoureux, l'attention que Camille Claes portait à Thomas Brel devint obsession. Elle eut alors la crainte, possibilité qu'elle n'avait encore jamais envisagée, qu'il eût déjà une bonne amie ou pire, qu'il fût déjà fiancé. À cette pensée, elle soupira sans retenue. Madame Cointet, qu'elle assistait alors dans la préparation d'un boudin à la viande et qui lui portait de l'affection, s'enquit de la raison de ce soupir. Camille Claes ne put lui mentir et s'ouvrit de son amour avec honte et soulagement.

— Madame, j'aime le jeune boucher Brel... Je ne pense qu'à lui et à unir mon ventre au sien...

Madame Cointet eut un petit rire.

— Madame, vous vous moquez !

— Non, je ne me moque pas, Camille... Je suis heureuse pour toi. Tu as maintenant l'âge pour les choses qui concernent les parties, et ces choses bientôt t'arriveront...

— Mais, madame, c'est à peine s'il me remarque... Comment faire ? Et peut-être est-il déjà fiancé ?

Madame Cointet qui connaissait un peu la famille Brel la rassura sur ce point. Thomas Brel était tout aussi vierge qu'elle d'amour et de plaisir. Elle l'avertit également de ce que l'on racontait au sujet des Brel, qu'il s'agissait d'une lignée d'hommes étranges, sujets aux voix et aux visions, que le père s'était lui-même émasculé pour se pendre quelque temps après, et que Thomas Brel, disait-on, avait été aperçu à plusieurs reprises, hagard et extatique, aux abords de la basilique du Saint-Sang.

— Madame, il ne m'en plaît que plus !

— Alors, Camille, dans ce cas, tu dois tout lui dire de tes sentiments et de ton désir... Les conventions n'ont plus de prise sur des cas comme le tien...

Camille Claes ne dormit pas la nuit suivante. Tournant dans son lit, elle ne put que s'effondrer au matin, après avoir rédigé, sur du papier parfumé de fabrication Cointet, un mot destiné à Thomas Brel. Elle se promit de le lui transmettre le lendemain. Madame Cointet la laissa dormir jusqu'au midi.

Le jour suivant, premier jeudi de juillet, tremblante et nerveuse, elle confia au jeune boucher, en même temps qu'elle lui réglait l'achat d'un kilogramme de tripes, d'une langue de bœuf et d'une dizaine de côtelettes d'agneau, une enveloppe bleue sans nom ni adresse qu'il prit de ses mains fines et blanches, tachées d'un peu de sang, et qu'il glissa dans la poche de son épais tablier.

Le soir venu et les bougies allumées, les deux bouviers endormis à ses pieds, Thomas Brel décacheta la petite enveloppe bleue, et en sortit le papier parfumé de fabrication Cointet qu'il se mit aussitôt à lire. Il y était écrit, d'une main tremblante d'insomnie et de désir, les mots suivants :

Monsieur Brel. Depuis le printemps je pense de plus en plus à vous. Je voudrais vous embrasser et unir mon ventre au vôtre. J'aimerais pouvoir souiller mes lèvres si cela devait vous donner du plaisir. Ce plaisir deviendrait le mien.

Si vous sentez que votre plaisir peut passer par le mien, retrouvez-moi samedi à dix-sept heures au pied du beffroi.

Amoureusement,
Camille Claes

Une bouffée d'angoisse saisit Thomas Brel. Il relut plusieurs fois la missive. Se leva. But de l'eau. Urina. Caressa ses gros chiens. Il se rassit, le papier parfumé toujours entre les mains. Depuis sa première jouissance, plusieurs années auparavant à la sortie de la basilique du Saint-Sang, son désir le terrifiait. Il était pour lui la trace physique en ce monde de l'au-delà de ses visions, la confirmation de la vérité des histoires de lait, de lune et de sang de son grand-père, le témoignage le plus sûr de l'état de déréliction qui lui avait ôté ses parents et qui, chaque jour, lui faisait porter le couteau à la gorge des bêtes. Depuis son extase adolescente, il avait consacré l'essentiel de son énergie à taire son désir et à retenir sa semence en dedans de lui. Il était allé jusqu'à porter une haire certains temps pour mortifier ses élans. Après plusieurs années de travail et de prières quasi païennes tant elles lui paraissaient folles, il était parvenu à oublier son désir dans l'un des cachots de son âme. Or, ce désir, le petit mot de Camille Claes venait de le raviver mille fois, et il venait de s'emparer des seize ans de Camille Claes et de leurs taches de rousseur, lesquelles, Thomas Brel le découvrait alors comme une évidence, il avait jusqu'alors refusées de tout son être, les maintenant avec force dans le néant de son déni. Et, comme un barrage débordé, ce déni brusquement cédait, et les images se déversaient dans l'esprit de Thomas Brel, et remontaient les jambes de Camille Claes jusqu'au mystère de sa croupe, jusqu'au scandale de sa fourche fendue par la plaie en demi-lune du Christ du Maître du Saint-Sang ; et de cette plaie saignante s'écoulait toute l'horreur de son regret, de son père suicidé et de sa mère noircie en dedans par la mort, et de toutes les visions qui du fond du Verbe et des temps réclamaient leur dû de violence et de fautes. Et Thomas Brel vit la Vierge relever ses jupes et s'accroupir et pisser devant lui, et déféquer bruyamment devant lui, et il conçut pour elle du désir, comme il en concevait soudain pour Camille Claes et il aurait voulu planter son membre dans son cul qu'il eût désiré le plus souillé de tout et lui mordre l'épaule comme une bête, ahaner et puis crier devant l'horreur de sa vie demeurante et de sa faute tout entière devant le corps de son père pendu. Thomas Brel tomba à genoux en larmes et se blottit dans la fourrure épaisse de ses bouviers.

Le soir suivant, Thomas Brel s'absorba dans la contemplation des peintures de son père. Il y trouva quelque apaisement. Très simplement, Hugo Brel avait représenté les trivialités de son quotidien. L'établi, les lames et les carcasses, peints à l'huile, y apparaissaient avec quelque légèreté de détail, ici une luisance blanche, légèrement baveuse, là la pâte bleue du ciel aperçue au-delà d'une fenêtre, trahissant le monde extérieur, sa gloire, son chagrin. Ces quelques toiles, bien médiocres à tout autre œil, fascinaient Thomas Brel. Elles représentaient ce qu'il restait de l'existence de son père. Thomas Brel les chérissait. À peine les dévoilait-il qu'il était rendu en d'autres bras ; non ceux, débiles, de son existence inquiète, mais ceux, aimants, de son père, qui le consolaient alors comme l'on console un fils perdu qui n'a reçu de la vie que la solitude et la mort. Thomas Brel sentait la proximité de faille qui l'unissait à son père, la conjonction de leurs folies relayées. Son père et lui ne pouvaient être que l'un en l'autre. Aucune possibilité de séparation n'avait pu être mûrie durant le temps de leur existence commune. Devant cet univers d'huile, les luisances baveuses et la gloire pâteuse, devant cet établi de boucher qui était devenu le sien, Thomas Brel ressentait l'évidence de cette liaison qui l'entraînerait aussi sûrement vers sa fin qu'elle avait entraîné son père à la sienne.

Obscur et gentil, Hugo Brel n'avait véritablement été compris et aimé d'autres personnes que de son fils.

Son mariage n'avait eu pour seule motivation que le rapprochement avantageux de deux familles aisées de Bruges ; sa femme l'avait méprisé. Leurs rares relations sexuelles, humiliantes et pénibles à tous deux, avaient donné naissance à un enfant chaque jour plus ressemblant à son père, chaque jour décevant sa mère. Hugo Brel, à mesure que ses visions et ses folies l'ostracisaient et le dépossédaient de tout plaisir et de lui-même, comprenait que l'amour que son fils lui portait persistait, intact et pur. Il en était infiniment consolé et, se sentant partir et sombrer, il rendait grâce à Dieu de lui avoir permis de conserver cette lumière en son naufrage. Aussi, quand il comprit qu'il était près de ne plus revenir de ses hallucinations et de ses désordres, il voulut éterniser cet amour et entreprit de peindre, côte à côte et simultanément, le portrait de son fils et le sien. C'est ce diptyque qu'il achevait de peindre lorsque le fantôme du bâtard mâtiné de sang épagneul vint frapper à sa porte le soir de sa mort. Confiant son amour à une peinture avant de s'ôter la vie, il avait voulu déjouer le Diable, qui le lui réclamait. Or, le sort voulut qu'on confisquât cette œuvre avant que Thomas Brel ne la vît, pensant qu'elle était le fruit de visions démentes et malines. Thomas Brel était ignorant du legs de son père et, scrutant longuement ses autres tableaux, il y cherchait, avec une émotion rare, une trace de leur amour.

•

Thomas Brel ne vint pas à dix-sept heures, le samedi, au pied du beffroi de la Grand-Place de Bruges, où l'attendit Camille Claes, peignée et parfumée par les soins de madame Cointet elle-même. Les joues empourprées par l'attente, la jeune fille espéra tout le soir tandis que le soleil d'été vomissait son or sur la ville et ses passants qui, toutes et tous, s'ils ne se rendaient à quelque fête, rentraient amoureusement dans leur foyer riche et frais, garni d'alcôves elles-mêmes garnies d'édredons épais de plumes et de rêves dérobés.

La nuit monta. Camille Claes fondit de douleur dans sa robe pâle en comprenant que Thomas Brel ne viendrait pas. Elle avait attendu presque quatre heures. Le monde prit soudainement pour elle la teinte de l'ennui ; jamais, toutefois, il ne lui avait paru aussi réel. Elle eut l'idée étrange qu'il était possible de se noyer dans les flots vides du temps. Sur le chemin du retour, le long du canal muet menant à la demeure Cointet, tandis que mille pensées affolées assaillaient son esprit, l'une d'elles la blessa plus que les autres, la perçant d'une flèche noire, et Camille Claes s'en voulut de s'être ainsi ouverte et ridiculisée suivant les élans mystérieux de son corps, d'être devenue folle pour un fou et d'avoir cru, un instant, qu'il était possible, dans cette vie, d'être soi.

Tard dans la nuit, madame Cointet trouva Camille Claes en pleurs dans le petit lit de sa chambre de bonne. La tristesse la mangeait comme un insecte mange une feuille, méticuleusement, morceau par morceau, jusqu'aux nervures laissées vives. Madame Cointet fut émue par cette vision et eût donné beaucoup pour la rendre heureuse. Elle s'assit aux côtés de Camille Claes, prit délicatement sa tête au creux de ses cuisses, comme l'on berce une morte, et la caressa longuement, consolant la fille qu'elle n'avait pas eue.

Camille Claes fut dispensée de se rendre à la boucherie Brel les semaines suivantes. Thomas Brel en fut d'abord soulagé. Il se renferma un peu plus dans la compagnie secrète de ses bouviers et la contemplation des tableaux de son père. Camille Claes, de son côté, s'absorba avidement dans la lecture des romans de monsieur de Balzac. Elle y trouva assez de vision et de rêve pour soutenir l'insupportable ennui que lui inspirait sa vie. Elle crut un instant y saisir le secret de son existence.

•

Il semblait alors que les deux jeunes gens ne devaient plus se revoir. Mais bientôt, à la faveur du mois d'août, peut-être le plus ténébreux de tous, chaud et souple comme la vie accomplie, Camille Claes fut reconquise par son désir. Il revint, sombre et impérieux, lui tournant la tête et lui brisant le corps dans une guerre totale qui ne cessa qu'avec la reddition de la jeune fille. Une nuit, fébrile et tremblante, elle céda ainsi à sa folie, et glissa silencieusement hors de son lit. À pas de loup, elle sortit en chemise de nuit de la demeure Cointet, se faufila hors du jardin en prenant soin de ne pas faire grincer le vieux portail de fer et pressa le pas le long du canal endormi. Le beffroi sonnait minuit.

Arrivée à la boucherie Brel, elle vit que la porte arrière était restée entrouverte, laissant luire entre les battants de bois ce qui ressemblait à la lueur d'une chandelle. Doucement, elle s'approcha et, retenant son souffle, glissa un regard inquiet dans le mince espace disponible. La vision qui s'offrit à elle la toucha en chacune des fibres de son cœur. Thomas Brel, assis parmi ses lames et ses outils, scrutait en silence une étrange peinture représentant le lieu même, la boucherie Brel, à ce détail près que Thomas Brel n'y figurait pas. Ce dernier semblait absorbé dans la contemplation de sa propre absence du tableau. À ses côtés, deux bouviers sombres, sagement assis, suivaient son regard de leurs yeux brillants et tristes. Camille Claes vit alors perler des larmes aux yeux de Thomas Brel, puis celles-ci s'écoulèrent le long de ses joues pâles jusqu'à la commissure de ses lèvres roses. L'un des bouviers posa sa patte sur la cuisse de son maître comme en signe de consolation. L'autre soupira douloureusement. Jamais Camille Claes n'avait vu tant de sentiment en des yeux canins. Il lui sembla que l'un des deux chiens portait en lui les secrets du passé et l'autre, ceux de l'avenir. Et dans leurs yeux, l'espace d'à peine un instant, elle se vit sans savoir si cela était pour le meilleur ou pour le pire. Thomas Brel tomba à genoux et sanglota, le visage enfoui dans le pelage de ses bouviers. Cette image de passion et de mystère acheva la résistance de Camille Claes qui, renonçant au contrôle de sa destinée, ouvrit la porte de la boucherie et se dirigea vers Thomas Brel, tout entier absorbé par sa douleur. Les bouviers la virent mais ne bougèrent point. Arrivée à eux, Camille Claes releva la tête de Thomas Brel, qui était au niveau de son ventre, et la dirigea doucement du pelage des chiens à celui de son pubis, sous le secret de sa chemise de nuit. Thomas Brel pleurait en tétant, puis en léchant et, bientôt, sur l'établi même de la boucherie, nus et haletants, Thomas Brel et Camille Claes souillèrent leurs lèvres et unirent leurs ventres. Ils perdirent connaissance.

Quand Thomas Brel reprit conscience, Camille Claes dormait encore, nue et écartée, sur la table de découpe. Par oubli de pudeur, naissant à peine au jour, il posa son regard sur le ventre blond qui s'offrait à lui. À la lumière des premiers rayons du jour, Thomas Brel vit la fente de Camille Claes de laquelle s'écoulaient, mêlés et extraordinaires, la semence perdue et le sang virginal. Une minute peut-être, il s'oublia devant le mystère. Puis, sans réfléchir, il s'habilla, sortit à l'air frais du petit matin et se rendit avec angoisse et empressement à la basilique du Saint-Sang. Là, dans l'obscurité de la chapelle, il y retrouva la pietà du Maître du Saint-Sang pour se perdre, agenouillé devant elle, en prières agitées et obscures. Repassait incessamment dans son esprit l'image claire et brutale de la vulve coulante de Camille Claes, ouverte comme le désir précipité et précipitant, en fleur de chair, intolérable ou, plutôt, qui ne le tolérait pas, lui, le raidissait à mourir dans la trahison de son père qui ne l'avait jamais peint, et la lune, ouverte comme la plaie du Christ, comme le bec de certaines pieuvres qu'on avait amenées de la côte, du port d'Ostende, une fois, et que l'on avait montrées à la boucherie, monstrueux miracles roses et gris de gélatine, comme les récits de son grand-père, rejetant, vomissant le lait et le sang, il l'avait vue, écartée et baveuse et jamais, jamais, il n'avait eu aussi peur qu'au réveil ce matin-là, il devait s'excuser auprès de ses chiens avant qu'ils ne l'accusent trop violemment des mots que lui avait murmurés Camille Claes, de ce qu'elle lui offrait comme on offre à un homme, de ce tout petit secret de fourche, pas plus grand que le quart de la paume d'une main, plus petit même peut-être, comme la vérité et le monde qui l'avaient toujours tué.

À peine sortit-il de la basilique qu'il vit, très haut dans le ciel, le soleil brûler et, flottant à ses côtés, ses deux bouviers qui pleuraient à chaudes larmes.

— Pour qui pleurez-vous ? leur cria-t-il.

— Nous pleurons pour toi, répondirent-ils. Pour ton père aussi et pour ton fils. Nous pleurons pour toutes et tous, qui vont mourir.

— Ne pouvez-vous pas être consolés ?

— Non, plus maintenant.

Thomas Brel s'envola vers le soleil. Le soleil était le visage de son père. Il mâchait ses propres testicules qu'il s'était sectionnés. Thomas Brel voulut le prendre dans ses bras. Il pleurait. *Pardon ! Pardon !* Et son père grognait comme un roi de douleur prêt à le dévorer, comme une mauvaise bête. Son père était brûlant de fièvre. Si sec que les larmes de Thomas Brel étaient attirées à lui comme du métal liquide par un aimant de feu, s'envolant de ses yeux à l'horizontale et s'engouffrant dans la bouche du soleil. Thomas Brel était, cette nuit, devenu humide et son père infiniment sec se nourrirait de lui jusqu'à l'évaporer et tous deux deviendraient mercure, mortel et gris. Les bouviers aboyèrent, découvrirent leurs dents et s'approchèrent. Thomas Brel hurla et personne ne l'entendit, car il était bien trop haut dans le ciel.

•

Camille Claes s'éveilla dans la boucherie vide. Elle entendit, à l'étage, tousser le vieux Jans Brel. Prise de honte à l'idée d'être ainsi découverte, elle s'enfuit en courant vers la demeure Cointet, claquant la porte par laquelle elle avait observé Thomas Brel la veille. Elle arriva chez les Cointet assez tôt pour se laver, s'habiller et prendre son service à l'heure. Elle n'avait croisé personne. Une inquiétude lumineuse la porta toute la journée, comme en l'absence soudaine d'un poids, la peur de s'envoler ou de ne pas mériter sa légèreté. Elle repensait à sa nuit d'amour, à ses incroyables promesses, et son corps tout entier frissonnait d'érotisme à l'idée de recommencer. Au-dehors, le jour était magnifique, comme si l'été célébrait son sexe mouillé et les beautés de sa jeunesse. Les nuages passaient et le vent, agitant le feuillage des arbres bordant le canal en un murmure argenté, promettait l'apaisement immense d'un soir d'été et d'une nuit à l'odeur de fleurs, de secrets et de rêves éveillés.

Un peu avant l'heure du dîner, madame Cointet revint de quelques courses. À sa vue, Camille Claes eut le sentiment d'un drame. Madame Cointet, sans même poser les paquets qu'elle portait, se dirigea vers elle. Ses yeux semblaient déborder de quelque chose. Camille Claes n'eut pas le temps d'en deviner plus. Madame Cointet, choquée, lui apprit d'un souffle que Thomas Brel s'était ouvert la gorge avec l'un de ses couteaux. On l'avait retrouvé, vers midi, exsangue, dans l'arrière-salle de la boucherie Brel. Camille Claes s'évanouit. En heurtant le sol, elle s'ouvrit le front.

Le jeune docteur Vanderdorpe avait été appelé en urgence. Madame Cointet avait fait transporter Camille Claes dans son propre lit et s'était vivement inquiétée de ce que la jeune fille peinait à reprendre connaissance. Pis encore, la blessée avait rendu deux fois, ce qui présageait d'un mauvais choc à la tête. Le docteur Vanderdorpe recousit la plaie avec habileté et rassura madame Cointet. Camille Claes se réveillerait après une bonne nuit de sommeil. Il accepta de rester souper. Bien que chacun s'efforçât de ne plus l'évoquer, passé le premier verre, l'horrible suicide du boucher Brel pesa sur tous ce soir-là. Le docteur Vanderdorpe apprit de madame Cointet que sa jeune patiente avait été amoureuse du pauvre homme.

— Pour une fille de cet âge, madame, et amoureuse de surcroît, un tel drame peut entraîner de pénibles et durables conséquences, n'hésitez pas à me faire appeler s'il est quoi que ce soit...

Madame Cointet fut quelque peu rassérénée de pouvoir compter sur le professionnalisme et la bienveillance du jeune médecin. Le lendemain, Camille Claes s'éveilla avec le soleil.

Camille Claes, dans un premier temps, demeura muette, tâchant de sourire en présence de madame Cointet qui n'avait de cesse de l'exhorter à prendre du repos et allégeait autant qu'elle le pouvait sa charge de travail. Septembre vint, et les lumières se firent plus belles encore. À l'occasion de certaines marches hors des murs de la ville, le dimanche, Camille Claes et madame Cointet cheminaient toutes deux sur de larges routes de campagne à l'horizon lointain et plat, toutes deux muettes devant l'énigme dorée du monde. Puis la santé de Camille Claes déclina. Fatigues, nausées et étourdissements. Son humeur surtout se dégrada de façon alarmante, alternant colères et angoisses. Un soir, durant une crise de larmes, Camille Claes confia tout d'un cri à madame Cointet :

— Madame, c'est moi qui ai tué le boucher Brel ! La nuit avant sa mort, je suis allée le retrouver et nous avons uni nos ventres et souillé nos lèvres, et nous nous sommes tous deux évanouis de plaisir, et le lendemain il s'est tué en s'ouvrant la gorge comme il aurait ouverte celle d'un porc ! Je sais que sans moi, sans mon désir, sans mon sexe il ne serait pas mort ! Tout cela est ma faute !

Madame Cointet fit immédiatement appeler le docteur Vanderdorpe, qui confirma aussitôt la grossesse de Camille Claes, avancée d'environ six semaines.

•

Philéas Vanderdorpe, ex-interne fraîchement diplômé de l'Hôpital Saint-Pierre de Bruxelles, s'était vu offrir un poste de médecin au Sint-Janshospitaal de Bruges, récemment agrandi et pour cela déménagé au sein d'un bâtiment néogothique en brique d'un rouge intense et plein qui, les jours de soleil, luttait rageusement contre le bleu du ciel dont il enviait toutes les promesses de vie. La réputation d'excellence du jeune médecin l'avait vite fait demander par les familles les plus aisées de la ville, certaines ne jurant plus que par lui. Philéas

Vanderdorpe menait une vie laborieuse, honnête et douce, s'apprêtant à cueillir le fruit, cordial et mûr, d'une décennie d'études et de travail acharné. Il n'avait encore jamais connu l'amour.

Madame Cointet tint à ce que ce fut le docteur Vanderdorpe et nul autre qui suivît la grossesse de Camille Claes. Régulièrement, celui-ci venait examiner la jeune patiente et restait à souper, jouissant avec sensualité et gratitude du gigotin d'agneau de madame Cointet, délicieusement agrémenté de sarriette et de pignons, ou de son anguille en matelote à base de vin rouge et de cognac.

Ce ne fut que le soir du réveillon de Noël, que les Cointet l'avaient enjoint de passer avec eux, qu'il remarqua pour la première fois, avec envie et candeur, les taches de rousseur de Camille Claes. Souvent il avait été seul avec la jeune fille, jusque dans l'intimité médicale d'un examen gynécologique, mais jamais, jusque-là, il ne l'avait considérée autrement qu'avec la rigueur et le détachement professionnels qu'il avait mis un point d'honneur à adopter à l'égard de chacun de ses patients. Ce soir-là, Camille Claes lui apparut tout autre, douce, chaude et désirable en son mystère roux. Ardentes et secrètes, la ligne de ses mains, la courbe de ses seins ; il eût voulu embrasser ses jeunes hanches et baiser amoureusement son ventre rond, enflé de vie et de tendresse. Durant la messe de minuit, placé en arrière d'elle, il ne put détacher son regard de sa nuque, que dévoilait le chignon de sa chevelure d'or. Ainsi, dans le faste catholique de la cathédrale Saint-Sauveur de Bruges, dans cet espace immense de pierre et de verre, à la lueur des candélabres, célébrant l'espoir immense de la lumière faite homme, de la possibilité, ne fût-ce qu'un instant, par-delà les gouffres de mort, de demeurer suspendu, éternel et infini en l'amour de l'autre, de soi et de la vie, Vanderdorpe aima Camille Claes d'amour et de désir.

Camille Claes était trop jeune encore pour maintenir à la surface d'elle-même le deuil d'un amant. Celui-ci sombra dans les eaux noires et opaques de son oubli, pour ne revenir qu'en ses rêves et en mille gestes imperceptibles de son quotidien. Elle vit l'amour et le désir dans le regard ébahi du jeune médecin, quand il portait désormais les yeux sur elle, dans sa douce barbe blonde, sa jeune bouche tendre, ses pommettes creuses, qui suscitèrent à leur tour l'amour dans le sien. Ils firent l'amour par un froid matin de janvier. Madame Cointet, à la cuisine, préparait des sanglettes, petites galettes de sang de poulet et de petits oignons cuits. Le ciel, au-dessus de Bruges, s'élevait plus haut que jamais, comme pour atteindre le soleil et l'amener en ce monde et le sexe gonflé de Vanderdorpe, allant et venant en Camille Claes, frappait par petits coups à la porte du destin, comme pour réveiller celui qui dormait encore, que l'on allait appeler Pierre et qui mourrait au Congo près de trente ans plus tard, de rage et de pleurs, abandonné dans l'infinie tristesse de la ténèbre à venir.

Camille Claes et Philéas Vanderdorpe jouirent au même moment, s'offrant ensemble à la somme des devenirs et des éternités. Les cloches du beffroi de Bruges sonnèrent onze heures.

LE 8 JUIN 1891, SUR LE QUAI du port fluvial de Léopoldville, à l'ombre de l'aube fraîche encore, Philéas Vanderdorpe observait trois travailleurs bantous décharger d'un vapeur le corps inanimé de son fils. Déposé dans une charrette tirée par deux ânes robustes, celui-ci fut aussitôt transporté à l'hôpital européen du docteur Dryepondt. Vanderdorpe suivit le convoi d'un pas lent, hasardant quelques regards gênés sur le mystère de celui que l'on transportait tout enveloppé de bandelettes de gaze, à la manière des momies d'Égypte. Pour la troisième fois en moins d'un an, Vanderdorpe remontait ainsi Léopoldville, du quai à l'hôpital, suivant l'ascension d'un triste et trouble sentiment.

Étonnamment, Vanderdorpe conservait un souvenir assez clair de son propre retour à Léopoldville, un peu plus de six mois auparavant. Émergeant à peine du coma dans lequel l'avait plongé la fièvre aiguë d'Équateurville, il s'était alors vu déchargé du vapeur qui l'avait ramené d'urgence pour être, à la suite du cadavre du jeune Klein et précédant le corps mutilé de Pierre Claes, placé sur le matelas de paille d'une charrette vieillissante attelée à deux taureaux patauds et bienveillants.

Vanderdorpe fut déçu d'être en vie. Ce qu'il avait cru être son décès s'était avéré d'une douceur et d'une facilité déconcertantes. Il avait glissé, tout simplement, dans l'abstraction cotonneuse d'un délicieux sommeil, sous le couvert scintillant des flamboyants d'Équateurville. Cet adieu à la vie en avait été l'une des plus belles choses, orgasme majeur, à l'image des lèvres de Manon Blanche, à l'odeur de leur souffle tiède. Il se réveillait régulièrement, brisé et froid, sous le regard du docteur Dryepondt, ressurgissant en son corps détesté, fermant les yeux dans l'espoir de mourir encore.

Vanderdorpe vécut pourtant, quand à ses côtés, durant ses délires fiévreux et alités, mouraient en appelant leurs mères, non moins fiévreux et alités que lui, des hommes de vingt ans ses cadets, lequel de Bruxelles, lequel d'Anvers, lequel d'un port gris de la mer du Nord au soleil chargé de pluie. La vie voulait encore de Vanderdorpe, et à mesure de ce retour, l'image de Camille Claes lui revenait et, avec elle, cette peine immense qu'il n'avait, de toute sa vie de désordre et d'aventures, ni su fuir ni su taire. Il revoyait, une à une, les étapes de cet immense gâchis. La naissance du petit Pierre, auquel on avait donné le nom de Claes, faute de père. Son départ pour Bruxelles, en 1862, où il lui avait été offert d'exercer comme chirurgien au Sint-Pietershospitaal. Camille Claes l'y avait rejoint au bout d'un mois, à la condition qu'il l'épouse et adopte son enfant. Vanderdorpe, très attaché à ce dernier, avait immédiatement procédé aux démarches d'adoption, qui avaient abouti une année plus tard. Pierre Claes était devenu Pierre Vanderdorpe. Le mariage n'avait jamais eu lieu.

Cinq ans plus tôt, peu de temps après son arrivée en Angleterre en compagnie du jeune Klein, Vanderdorpe avait retrouvé, à l'occasion d'une soirée d'actionnaires de la Société anversoise de commerce au Congo, un couple qu'il avait connu jeune à Bruges et qui, à l'époque, fréquentait également les Cointet. Les Boissiers, tel était leur nom, se précipitèrent sur Vanderdorpe, l'assaillant de questions de leurs voix trainantes et nasillardes. Qu'était-il devenu ? Pourquoi, pour qui, avait-il ainsi disparu, laissant la pauvre Camille Claes et son fils seuls à Bruxelles ? Non, personnellement, ils ne lui en voulaient pas, ne le jugeaient même pas, et puis cela était le passé. Le petit Pierre était devenu un charmant jeune homme. Géomètre ! Qu'il se rassure, la mère et l'enfant n'avaient pas été laissés à eux-mêmes, madame Cointet – la chère Léonore, que Dieu ait son âme – ne l'aurait jamais toléré. Et Vanderdorpe apprit ainsi qu'après son départ, madame Cointet avait proposé à Camille Claes de veiller à l'entretien du pied-à-terre qu'elle et son mari venaient d'acquérir à Bruxelles et dans lequel ils pourraient vivre, elle et son fils. Camille Claes avait aussitôt accepté avec une infinie gratitude la proposition de celle que, plus que jamais, elle avait alors considéré comme son unique et véritable mère. Vanderdorpe fut soulagé d'apprendre que Camille Claes et son enfant n'avaient manqué de rien. Madame Cointet, autant qu'elle l'avait pu, s'était efforcé de leur offrir une vie familiale digne de l'affection qu'elle leur portait, leur rendant régulièrement visite, les invitant à Bruges pour Pâques et Noël, et l'été sur la côte. Elle avait insisté pour donner à Pierre une éducation de qualité, lui permettant, à lui, orphelin fils d'orpheline, d'accéder à des études universitaires. Vanderdorpe apprit avec un amer pincement que Pierre Vanderdorpe avait repris le nom de sa mère à l'âge de dix-huit ans. Il était redevenu Pierre Claes et, en dépit de son jeune âge, était considéré comme l'un des meilleurs géomètres de Belgique.

On le sait, c'est au cours de ce même séjour londonien que Vanderdorpe apprit le décès de Manon Blanche. Cette nouvelle, après celle du reniement officiel de celui qu'il avait considéré comme son fils, sapa un instant toute la base d'endurance et d'oubli qu'il avait bâtie en Afrique. Il venait de perdre les deux amours de sa vie. Un soir, il but avec violence. Dans un pub, il insulta deux dockers, dans l'espoir que ceux-ci le battent. Il leur offrit même de les payer pour cela. Il disait vouloir que sa peau éclate sous les coups. Il disait vouloir pisser ses os. Heureusement ou malheureusement pour lui, aucun des deux dockers n'avait l'âme violente. Mais l'un deux dit à Vanderdorpe qu'il connaissait un très jeune homme à peu près aussi fou que lui. Un Écossais. Un homme de Dieu qui la nuit délirait de rade en rade en s'assommant au whisky. Il payait les prostituées pour simplement renifler leur entrejambe ou parfois se faire uriner dessus. Il jurait à tout le monde qu'il deviendrait un jour roi d'un pays appelé Harmonie. Un dénommé John McAlpine. Il devait être au Dove à quelques rues de là. On alla le présenter à Vanderdorpe, car il n'y a rien de tel qu'un fou pour en consoler un autre.

Le révérend McAlpine, par certains côtés, rappelait Verlaine. Vanderdorpe éprouva une sympathie assez soudaine pour cet être pâle et maigre qui, biologiquement parlant, paraissait vivre à crédit. Il lui confia son histoire, que McAlpine écouta avec attention. Celui-ci fut fasciné par les récits que Vanderdorpe lui fit de l'Afrique. Tout l'alcool s'évaporait alors de ses grands yeux pâles qui se mettaient à rêver comme ceux d'un petit garçon.

— Regardez mes yeux, dit-il à Vanderdorpe quand celui-ci eut terminé son histoire, car Dieu y est malgré moi... Vous n'avez cessé de vous noyer toute votre vie sans jamais véritablement mourir... N'avez-vous jamais pensé être immortel ? Ou alors n'y aurait-il pas qu'une seule façon de mourir, qui vous attend, là, quelque part dans le monde ?

Il but une longue gorgée.

— Trouvez-la, mon ami... Trouvez cette façon de mourir... C'est la chose la plus précieuse qu'il vous reste... dit McAlpine.

Le reste de la nuit demeura obscur dans la mémoire de Vanderdorpe. Il ne revit pas le jeune révérend. Son accès de tristesse lui était passé. Il savait maintenant ce qu'il recherchait.

•

Du fond de ses fièvres comateuses, entre les draps rêches et parfumés de l'hôpital européen du docteur Dryepondt, Vanderdorpe avait fantasmé ces années perdues, la douceur de Camille Claes, les boucles d'or de son fils. Chacune devant lui, comme une toile de fin cristal, se brisait avec le vent du ciel, s'essaimant en larmes perdues. Vanderdorpe, ouvrant alors les yeux, gémissait à la vue du filet de la moustiquaire qui surplombait son lit et semblait le piéger comme l'avait piégé l'effondrement du monde.

Les fièvres s'apaisèrent et Vanderdorpe put quitter l'hôpital avec la bénédiction du docteur Dryepondt. Il avait toujours à l'idée de retrouver son fils, dût-il y perdre la vie. Il comptait, après avoir repris encore quelques forces à Léopoldville, trouver le premier prétexte pour partir vers le nord. Début juin, il apprit avec stupeur d'un chasseur de fauves qui arrivait d'Équateurville que les porteurs du célèbre géomètre Pierre Claes, dont l'expédition devait fixer une fois pour toutes la frontière nord du pays, avaient ramené de la jungle le corps de celui-ci, inconscient et effroyablement mutilé, jusqu'à Banzyville, où les Arabes qui tenaient le poste lui avaient prodigué les premiers soins. Le géomètre avait ensuite été déplacé plus au sud. Un navire le rapatriait actuellement vers Équateurville, d'où il serait transféré à Léopoldville. Il se disait, mais cela devait être quelque invention fantaisiste de colons s'étant attardés trop longtemps au soleil, que le corps meurtri du géomètre Claes était tout entier recouvert d'étranges et monstrueux dessins.

PIERRE CLAES AVAIT SURVÉCU à sa mutilation. Profondément incisée en de nombreuses lignes qui, parfois, traversaient et tranchaient tout le corps, sa peau s'était repliée sur elle-même en plusieurs endroits, se courbant comme du papier humide, à l'image des spirales que Xi Xiao y avait encrées.

Ainsi abandonné dans la jungle, le géomètre avait éclos comme une fleur aux rougeurs luisantes et carnées. Mille oiseaux chantaient. Des insectes avaient commencé à s'accoupler dans son corps et des serpents rampaient en cercle tout autour, se dressant par instant, comme pour observer plus attentivement ce miracle. Des singes s'inquiétaient. Sous le nadir d'un rayon diaphane qui tombait des épaisses frondaisons équatoriales jusqu'à ces sous-bois oubliés du monde, respirant plus doucement qu'un nouveau-né, Pierre Claes mourait, l'esprit gonflé d'opium et de rêves. Les dévoilements impudiques de son épiderme mutilé laissaient apparaître les fibres et les tendons de certains muscles, vernis de lymphe séchée, encore endormis, inconscients de s'abandonner ainsi à la vue de toutes les créatures de ce jardin fabuleux. Un léopard des bois, d'une beauté extraordinaire, les yeux cernés d'un khôl outre-noir, s'approcha du corps d'une démarche timide et hésitante. Reniflant, écoutant, s'assurant qu'il serait alors tranquille, il entama un copieux morceau de cuisse. Puis un cri se fit entendre au loin, puis d'autres plus proches, et tous les animaux s'enfuirent.

Luzolo, Lumala, Mbaambi, Koongo, Mbala et Tamila venaient de retrouver Pierre Claes. Il ne tenait qu'à ces six hommes d'abandonner ce Blanc dont ils n'avaient rien à faire, venu de si loin pour mutiler leurs terres. Dieu seul sait pourquoi ils lui vinrent en aide. Ils le recueillirent, pansèrent ses plaies et l'embarquèrent sur une pirogue jusqu'à Banzyville.

Ali ibn al-Hassan el Marjebi les accueillit en silence. Les six Bantous déposèrent devant lui le corps du géomètre et lui dirent qu'il s'agissait là d'un esprit tourmenté qui avait choisi la mort comme amour entre les mains de l'homme venu de Chine. Ils lui dirent encore qu'il n'y avait de possible pour de telles âmes que la disparition, mais qu'il ne leur revenait pas de le laisser mourir. Ils lui dirent enfin que le géomètre et l'homme venu de Chine s'étaient véritablement aimés dans les jungles et avaient joui ensemble le soir, que cela avait été beau et qu'on ne pourrait jamais les condamner pour leurs gestes.

— S'ils n'ont pas réussi à se tuer, c'est qu'ils se sont mal aimés, dit Ali ibn al-Hassan el Marjebi en expirant une bouffée de tabac.

Les six Bantous inclinèrent la tête et repartirent vers le nord. Ali ibn al-Hassan el Marjebi dit à ses hommes d'installer le géomètre dans sa propre tente.

— Il faut donner à cet homme la possibilité de se tuer à nouveau, leur lança-t-il avant de les remercier.

Pierre Claes demeura une semaine à Banzyville, inconscient du monde extérieur, rêvant infiniment de choses horribles et extraordinaires. Les hommes de Ali ibn al-Hassan el Marjebi, passé le mélange d'émerveillement et d'horreur que leur imposèrent les singuliers tatouages qui recouvraient le corps mutilé, nettoyèrent ses plaies en profondeur puis l'enduisirent tout entier d'un onguent cicatrisant et souverain dont ils avaient apporté le secret des montagnes du Hoggar. Le géomètre fut ensuite empaqueté dans des bandelettes de draps de coton serrées tout autour de son corps, de façon à ce que ses plaies restassent soudées. Minutieusement, pour cela, les hommes d'Ali ibn al-Hassan el Marjebi avaient déplié et maintenu un à un, à l'aide d'aiguilles et de fils, les pans de peau recourbés et réfractaires qui fleurissaient à la surface de Pierre Claes. Jamais la mort n'avait tenté de s'emparer de manière si vivante et imaginative d'un corps. Les hommes d'Ali ibn al-Hassan el Marjebi ne pouvaient contenir une certaine admiration devant les effets de l'art du bourreau chinois; ils s'oubliaient alors en absences contemplatives et émerveillées, en équilibre, toujours, sur la mince frontière qui les préservait du dégoût et de l'abjection. Un trou fut fait au visage pour la bouche et le nez, un autre fut laissé au niveau de l'anus pour les déjections et un autre encore en bas du pubis, pour laisser passer le pénis qui était lui-même profondément entaillé d'une plaie dont des fourmis légionnaires avaient entamé les bords, fouillant de leurs mandibules avides et venimeuses les délicats corps caverneux.

Ainsi préparé, Pierre Claes fut conduit en pirogue jusqu'à Zongo. Là, les hommes d'Ali ibn al-Hassan el Marjebi défirent ses bandages, nettoyèrent à nouveau son corps, y appliquèrent encore le puissant onguent auquel Pierre Claes dut certainement sa vie, et le bandèrent de la même façon.

Pourquoi les hommes d'Ali ibn al-Hassan el Marjebi se donnèrent-ils tant de mal pour un Blanc qui certainement les avait méprisés lors de son premier passage à Banzyville ? Ils ne le dirent pas. Toujours est-il qu'un vapeur accosta à Zongo le surlendemain de leur arrivée pour recueillir une collecte d'ivoire. Le précédent était reparti un mois plus tôt, le suivant n'arriverait pas avant six semaines. Le corps de Claes fut confié au capitaine qui ne l'accepta qu'à l'issue d'une conversation houleuse avec l'un des hommes d'Ali ibn al-Hassan el Marjebi, effrayé de voyager avec, à son bord, une momie vivante. Le géomètre descendit alors, près de six mois après l'avoir remontée, la rivière Ubangi jusqu'à Équateurville. Là, il fut réceptionné par Charles Lemaire en personne. Celui-ci jura solennellement que Xi Xiao serait retrouvé et qu'on lui « ferait bouffer ses couilles avant de lui plomber le crâne, au niakoué ».

Le commissaire du district de l'Équateur fit installer le géomètre du roi dans la paillote la plus confortable du poste. Là, outre celle du docteur Goosens, jeune homme originaire d'Anvers, fort habile et délicat, récemment affecté à Équateurville, Pierre Claes recevait la visite curieuse et clandestine de deux filles de joie qui riaient sans méchanceté du petit bout de chair emballé de gaze dépassant du mystérieux linceul de bandelettes, sous lequel, paraissait-il, vivait encore un homme. Quelque chose, elles ne savaient quoi, en ce pénis meurtri, oiseau blessé posé sur un cadavre vivant, les rassurait, les troublait sensuellement même, convoquant le meilleur en elles, comme la vue du sexe innocent et excité d'un petit garçon. Elles racontaient alors à Claes endormi, en leur langue bantoue syncopée, des histoires d'amour et de magie, dans lesquelles pénis et clitoris s'allongeaient infiniment et se retrouvaient au-delà du monde humain pour échanger, à même les étoiles, de silencieux baisers.

Au bout de trois semaines, alors qu'il avait pris quelques forces et que l'on fut assuré de sa survie, Pierre Claes fut embarqué à destination de Léopoldville où des messagers avaient déjà transmis la nouvelle de son arrivée imminente. Le docteur Dryepondt, à qui l'on avait décrit le caractère exceptionnel et sulfureux – terrible atteinte à la virilité ! – des blessures du géomètre, se faisait un devoir professionnel de rétablir ce jeune homme le plus rapidement possible afin qu'il pût lui-même, pour le bien de son honneur, de celui de toute la Belgique et même de l'Homme Blanc par-delà les frontières et les rivalités, retrouver et punir l'être infâme qui lui avait infligé ces odieuses mutilations.

•

Tout ce temps, du fond d'un coma noir, lumineux et spectral, Pierre Claes rêvait. Inconscient, hors d'atteinte de la douleur qui sévissait en ses chairs, il vivait de silence et de mort et un milliard d'années eussent pu passer qu'il les eût senties dans leur vérité et non dans leur durée. La découpe de Xi Xiao, infiniment amoureuse, avait eu recours, entre autres, aux techniques les plus secrètes de l'acupuncture, réunissant des points de l'épiderme qui jamais n'auraient dû être réunis par ces fins canaux de sang par lesquels avait été gravé, sur le corps du géomètre, un cosmos nouveau, propre à la rencontre de Pierre Claes et du bourreau chinois, instant unique de l'histoire du monde à l'intersection de deux cônes, l'un contenant les événements passés, l'autre ceux à venir. Il faut le dire encore, car cela est important, seul l'amour le plus pur put accomplir une telle saisie du monde sur le corps d'un amant. Xi Xiao savait, en incisant ainsi la chair du géomètre, qu'il opérait de façon à le soustraire au temps même, à ses lenteurs, ses langueurs, ses longueurs, son inquiétude et sa condamnation ; il le suspendait au-dessus du gouffre de l'absence pleine, de cette ténèbre véritable, plus brillante, en son sein, que mille étoiles et dont, pourtant, aucune lumière ne s'échappe, toutes prisonnières de son noir absolu. Ainsi suspendu dans le vide de la mort pure, Claes eût dû grandir fabuleusement à la mesure de sa tristesse, laquelle, croyant à son triomphe sur l'ordre de l'univers, croyant dominer la vie et le temps, aurait relâché sa garde, desserré quelque peu son emprise sur l'âme du jeune homme qu'elle comptait, sûre d'elle, dominer au-delà de la mort, pour se voir soudainement trompée et trahie à l'instant où Xi Xiao eût, incisant le cœur de Pierre Claes fraîchement libéré de son couvercle de côtes, rompu le dernier fil retenant le géomètre à la vie. La tristesse, piégée et anéantie, abandonnant Pierre Claes au devenir triomphant de la ténèbre, eût alors rejailli dans les jungles, tuant brutalement Xi Xiao et retournant à la Lune et aux mille animaux qui la recevaient en leurs yeux.

Xi Xiao, on le sait, surpris par sa propre douleur, n'eut pas la force de découper le torse de Pierre Claes, de soulever ses côtes et de libérer son cœur.

La tristesse régnait ainsi en maîtresse absolue sur l'espace infini d'absence et de temps qu'abritait le corps mutilé du géomètre, enserré en tout point de bandelettes de gaze et de coton, momie ramenée du cœur de l'Afrique à l'hôpital européen de Léopoldville. À mesure que les onguents cicatrisaient les chairs, Pierre Claes remontait à la surface de la vie. La morphine que lui administrait le docteur Dryepondt l'accueillait en des rêves plus humains et l'excédent de douleur physique et morale qui émanait de son être, lentement, se transmuait en cette sorte d'onirisme stupéfié que certains peintres attribuent aux dieux humanisés des systèmes polythéistes. Formes et langages réapparurent progressivement en Pierre Claes.

La géométrie lui revient en premier. Puis l'astronomie. Il s'éleva alors hors de son corps et traversa le toit de l'hôpital, il vit Léopoldville endormie dans la nuit et, poursuivant son ascension, il aperçut tout entier le bassin du Congo, sombre et veineux, puis l'Afrique, des plaies rectilignes de laquelle s'écoulait un sang écarlate et spectaculaire, il passa la Lune, aperçut à sa surface deux chiens bouviers en deuil et vit Mars rougir au loin comme un suçon de rouille au cou de la nuit, en plissant les yeux il en aperçut les canaux, tracés devant acheminer l'eau des calottes polaires aux contrées asséchées, derniers efforts de survie d'une civilisation martienne désormais anéantie et dont les cadavres par millions reposaient sur cette terre rouge, morte et belle, imputrescibles, sertis d'or et de gemmes, puis Pierre Claes vit Jupiter, immense, Saturne, Uranus ; Neptune que l'on venait de découvrir, bourdonnante et hiératique comme une reine insecte habillée de velours, lui apparut alors, brillante comme l'œil d'un chat, fendant la laitance noire du ciel, une neuvième et fauve planète, secrète et malade, rageuse, la bave aux lèvres, courbée comme une mauvaise bête. Pierre Claes sut que cette planète mélancolique avait abrité Dieu, le Christ, Marie et les Anges, que tous désormais étaient morts, y gisant encore dans leurs habits colorés, semblables à des statues de cire, du sang tachant le pourtour de leurs bouches, il sut aussi qu'égarée hors de toute orbite fixe, cette sphère maligne finirait par frapper la Terre et l'anéantir. L'astre passa à une vitesse folle. Pierre Claes vit Jans, Hugo et Thomas Brel avant de se perdre dans le ciel. Pour la première fois depuis sa mutilation, il ouvrit les yeux. La fenêtre de sa chambre était demeurée ouverte. Dehors était le calme de la nuit. Au loin montait vers les étoiles le cri plaintif de quelque bête amoureuse.

Les jours suivants, Pierre Claes reprit pleine connaissance de lui-même, du monde et de son histoire. Ses plaies réclamèrent le contact vivifiant de l'air libre et le docteur Dryepondt lui défit son enveloppe de bandelettes. Pierre Claes put enfin voir le réseau de lignes surréelles et de motifs étranges que Xi Xiao avait inscrits de manière indélébile sur sa peau. Leur vue l'émut. Il y reconnut son histoire de souffrance et le signe de l'échec impardonnable qu'avait représenté à ses yeux sa naissance. Il y lut la trahison de ses attentes, enfantines, amoureuses, spirituelles, intellectuelles, érotiques. Plus encore, et ce fut ce qui en lui céda à des larmes amères, il y reconnut tout l'amour qu'il avait suscité en vain, celui de sa mère, celui de madame Cointet, celui de Xi Xiao qui, dans l'abandon total de sa tendresse avait trouvé la force unique de produire ce dessin si vrai, si révélateur, si bouleversant d'adéquation avec toutes les nécessités de sa destinée de tristesse. S'il avait su mieux aimer par le passé et, en particulier, s'il avait su saisir cette ultime chance que lui avait offert le romanesque de son aventure africaine, il eût assurément été, en cette même seconde, mort ou heureux. L'amour, toujours, l'avait traversé comme une eau gazeuse et pure, précieuse, tonique, réveillant ses muscles, dont elle entraînait avec elle les impuretés, jusqu'au bout de ses doigts, mais une eau disparaissant toujours à la fin en sa légèreté, s'évaporant hors de lui comme un trop-plein, comme un gaz instable s'évadant par le suicide d'un milieu hostile et condamné. Chaque bonté, chaque geste vrai lui avait *in fine* échappé, il n'avait su les comprendre, progressant comme un panier percé dans les rues de Bruxelles puis le long du Congo et de l'Ubangi. Il avait appris du docteur Dryepondt la veille la façon dont Luzolo, Lumala, Mbaambi, Koongo, Mbala,Tamila puis Ali ibn al-Hassan el Marjebi et ses hommes s'étaient occupés de lui qui, jamais encore, n'avait su avoir de cœur. Il se souvint alors brutalement des mains coupées. Les larmes de l'abattement le plus total, le plus douloureux et le plus privé de sens s'écoulèrent de ses deux yeux fendus. Ce monde était une abomination.

Plus tard, la nuit venue, Pierre Claes gisait endormi sur sa couche ; doucement, au-dehors, bruissait quelque palme. De l'autre côté du mur de sa chambre, sous le bord de sa fenêtre exactement, s'élevait un imposant bosquet de cette plante que l'on appelle *rose de porcelaine*, dont le docteur Dryepondt raffolait et qu'il avait fait venir des colonies asiatiques de l'Empire français.

Le long d'une des tiges de ce bosquet, épaisse comme un roseau et que couronnait une fleur écaillée, pleine et rose comme une fraise de vie pure, s'enroulait une vipère du Gabon aux yeux immenses et jaunes traversés d'un étroit losange noir. La vipère atteignit le bord de la fenêtre et, silencieusement, se laissa glisser sur le sol de la chambre de Pierre Claes. Le serpent se glissa alors sous la moustiquaire qui encageait le lit et se hissa comme par miracle sur le drap de coton blanc recouvrant le corps inerte et vulnérable. Très délicatement, interrogeant régulièrement l'air de rapides coups de langue, l'épaisse vipère se fraya un chemin le long du corps de Pierre Claes sans autre bruit que celui du frottement des draps. Des pieds elle remonta les jambes puis elle atteignit le torse pour arriver au visage du géomètre. Celui-ci était encore marqué des larmes pleurées plus tôt. La vipère se dressa et approcha sa tête triangulaire du souffle tiède et régulier du dormeur. D'un coup de langue, d'un autre, puis de plusieurs, elle goûta le sel qui trahissait le passage des pleurs sur les joues de Pierre Claes. Le corps du serpent frémit. La vipère s'immobilisa un instant, comme hésitante, puis posa ses lèvres sur celles du jeune homme et les y maintint plusieurs secondes en un tendre mouvement. Le baiser donné, elle repartit en silence vers les roses de porcelaine.

Lorsque Pierre Claes s'éveilla le matin suivant, il ne restait aucune trace du passage du serpent. Le géomètre n'avait plus qu'une idée en tête : retrouver

Xi Xiao, lui demander de reprendre la mutilation et de l'aimer jusqu'au bout.

VANDERDORPE VINT RENDRE VISITE à Pierre Claes. La nuit, lorsque le géomètre dormait, il s'approchait du lit, jusqu'à n'être plus qu'à quelques pas, et demeurait immobile dans le noir, scrutant à travers les mailles de la moustiquaire, à la lueur de quelques reflets de lune, ce visage qu'il avait vu autrement, plus de vingt ans auparavant, et qu'il n'avait plus revu depuis.

Une nuit d'orage, à la faveur d'une violente série d'éclairs, il reconnut avec une émotion vive, dans ce visage d'homme endormi, les traits du petit Pierre qu'il avait aimé. Au-dehors, la pluie s'abattait chaude et lourde sur la ville et le vent remuait la jungle entière, agitant les eaux grondantes du Congo ; hommes et animaux partout se terraient en leur abri fragile, inquiets de cette puissance. Dans l'obscurité de la petite chambre, Vanderdorpe contemplait celui qui avait été son fils. Pour la première fois de son existence, il prenait la mesure des forces du temps, de la façon dont elles transformaient un petit garçon rieur en géomètre mutilé. Comment cet être, allongé devant lui dans l'ombre et dont il ressentait la présence d'homme, pouvait un jour l'avoir aimé, avoir voulu l'embrasser et le serrer dans ses bras ? Il pensa à cette chose extraordinaire : lui, Vanderdorpe, avait autrefois consolé cet inconnu ; lui, Vanderdorpe, épave de l'Aventure, avait autrefois eu pour rôle de veiller sur l'inconnu devant lui étendu. Considérant cette proximité perdue, il réalisa l'immense distance qui le séparait désormais de Pierre Claes, ce gouffre de trahison qui béait, s'étalant d'un amour à l'autre. L'espace d'un éclair, il reconnut les taches de son qui parsemaient les pommettes du mutilé ; celles de Camille Claes et du soleil de Bruges. Comment et pourquoi avait-il ainsi pu partir ? Comment et pourquoi avait-il aimé Manon Blanche ? La ligne de sa vie l'avait éloigné de tout ce qu'il aurait dû être. Vanderdorpe était à cent-mille lieues de lui-même. Une seule vie, en tout et pour tout, voilà ce qui était donné à chaque être, et la sienne avait été un échec complet. Vanderdorpe ne put retenir un sanglot aigu. Pierre Claes remua, marmonnant quelque chose d'inaudible. Sa respiration se fit courte. Il ouvrit les yeux.

— Qui est là ? demanda-t-il.

D'un bond, Vanderdorpe s'enfuit de la chambre. Dans l'obscurité du couloir qui menait hors du bâtiment, il heurta l'infirmière de garde qui le reconnut.

— Monsieur Van der Borre !

— Vanderd...

Vanderdorpe s'interrompit. Il s'éloigna dans la nuit.

Pierre Claes de son lit avait tout entendu. Il appela l'infirmière pour lui demander qui était venu dans sa chambre à une telle heure.

— C'était monsieur Van der Borre, lui dit-elle. Un monsieur de la Société du Haut-Congo... Il a été soigné ici il y a peu, des fièvres... Il en est presque mort... Il a conservé de sa maladie une mélancolie particulière... Il n'est pas méchant, vous savez... Il semble s'intéresser à vous... Plusieurs fois il est venu me poser des questions à votre sujet...

— Van des Borre, vous dites ? Mélancolique... Eh bien, vous direz à ce monsieur de venir me rendre visite à des heures plus appropriées s'il s'intéresse à moi... Je serai plus à même de le renseigner !

•

Toute sa vie durant, Vanderdorpe avait consacré une quantité d'énergie non négligeable à rectifier son nom auprès de ses compatriotes francophones qui semblaient ne pouvoir en retenir ni l'orthographe ni la prononciation. Enfin, pensait-il en se dirigeant vers l'hôpital européen du docteur Dryepondt, cela avait fini par jouer en sa faveur. À Léopoldville, il était Van der Ghore, Van der Borre, Van der Borpe ou Van der Gorpe, mais aucunement Vanderdorpe. Ainsi, à l'abri de l'épaisse barbe qui masquait depuis quelques années son visage, il pourrait satisfaire à l'invitation que Pierre Claes lui avait faite par l'entremise de l'infirmière sans risquer de trahir sa véritable identité. Vanderdorpe allait pouvoir parler à son fils.

Il lui rendit une première visite un jeudi matin, tôt. Il ne mentionna pas qu'il avait été médecin, et se présenta comme un agent de la Société du Haut-Congo en convalescence. Son regard, presque transparent, plut immédiatement à Pierre Claes. Vanderdorpe dit à celui-ci qu'il avait été touché par son histoire, qu'il avait ressenti une profonde affection pour lui, que les fièvres le travaillaient encore et que pour cela il avait commis ce geste fou de lui rendre visite la nuit, dans l'idée, expliqua-t-il, de veiller sur son rétablissement. Pierre Claes l'excusa immédiatement. Les politesses et les conventions humaines ne l'intéressaient plus.

— Votre visage m'est sympathique, dit-il. Je n'ai plus d'amis et ne veux pas prendre le risque de perdre une amitié naissante... Aussi, je vous pardonne...

Les deux hommes échangèrent encore quelques banalités, puis rapidement Pierre Claes confia à Vanderdorpe les visions qu'il avait eues. Il lui parla du sentiment qu'il avait et qui désormais ne le quittait plus que la fin du monde était proche. Il lui dit qu'il avait vu brûler dans le ciel des flammes infinies et que de leurs sommets coulaient des larmes claires pour toutes les créatures qui allaient mourir. Il se mit alors lui-même à pleurer. Comme un enfant. Nerveusement d'abord, puis plus doucement, s'épuisant à déverser une peine intarissable. Vandedorpe se pencha vers lui.

— Je connais votre tristesse, dit-il. Mon ami, si je puis vous appeler ainsi, j'ai reconnu, au cours de ma pauvre vie, que notre monde, notre unique bien, notre unique source d'amour, de rêve et de puissance, ne saurait désormais trouver de vérité que dans la destruction... J'ai appris toutefois que cette destruction ne peut être celle du monde, mais qu'elle sera la nôtre... Notre délitement devient le monde, il l'est... Ainsi en est-il également de notre souffrance, et de celle de toutes et tous qui meurent aujourd'hui dans cet enfer, de celle de toutes et tous qui y vivent... Rien ne reste en cette saison et le bonheur s'est envolé...

Pierre Claes avait cessé de pleurer et s'était tourné sur le côté. Ses yeux demeuraient ouverts, comme ceux d'un animal qui souffre.

Vanderdorpe revint visiter Pierre Claes la semaine suivante, puis revint encore, quelques fois par semaine, puis chaque jour. Une mystérieuse attraction, presque sexuelle, l'attirait au chevet de ce fils perdu. Auprès de lui, le monde reprenait du sens et semblait, en quelque moment, réparer le destin, ou plutôt le parfaire, l'élever à une hauteur telle que chacun de ces cahots eût pu s'accrocher au ciel et s'y enflammer comme une étoile. Vanderdorpe, en présence de son fils, partageait la fortune de ces fleurs organisées en capitules, que le temps tue et que le vent disperse. Au-dehors, l'éclat du soleil gonflait les airs jusqu'à diluer toute chose. Les mots, un par un, se détachaient du monde, y dévoilant, ici et là, des parcelles de sublime. Vie et mort, dans l'esprit de Vanderdorpe, s'étaient unies comme le font les gamètes, en une unité nouvelle et silencieuse. Dans la petite chambre de l'hôpital européen de Léopoldville, Vanderdorpe retrouvait le petit Pierre qu'il voyait s'exprimer en homme, hors du réel humain et de son odieuse laideur. Le petit Pierre, dans ce corps d'adulte tatoué et mutilé, lui parlait depuis la mort, affranchi et sublime, prodiguant des paroles inviolables, rayonnant comme un soleil au centre de sa couche de coton, un prince condamné, une vérité que l'on eût mise en chaque bouche, une nourriture. Vanderdorpe eût voulu embrasser son fils, le manger, le garder en sa gorge jusqu'à défaillir. Ces élans, il le sentait sans pouvoir se l'expliquer, avaient valeur d'émancipation, de sublimation et de surpassement ; ils étaient la forme aboutie, fantomatique et consolante de l'amour trahi.

Pierre Claes conta son histoire. L'abandon de son père adoptif, sa douleur, celle de sa mère, qui l'absorba tout entier, ses études brillantes, le cauchemar du Congo et la révélation de l'horreur. Il lui parla de Xi Xiao, de leur pacte et de sa volonté de le retrouver pour mourir entre ses mains. Vanderdorpe, à son tour, déguisant quelque peu les noms et les lieux, et, bien sûr, omettant Bruges et Camille Claes, fit le récit de sa vie, de sa formation de médecin, de son amour pour Manon Blanche, de ses amitiés, des atrocités de la répression de la Commune et de la colonisation africaine, de la mort du jeune Klein, de son désespoir définitif et complet. Quand il eut terminé, Pierre Claes lui prit la main.

— L'existence est une aberration, et la nôtre plus particulièrement, une erreur, dit Vanderdorpe. Mon unique consolation est le frère que j'ai trouvé en vous...

Mais je sens que ce bonheur ne serait pas complet si vous ne m'accordiez une ultime faveur...

— Dites, mon ami... lui enjoignit Pierre Claes avec empressement. Il n'y a rien que je puisse refuser à un homme né si funestement sous la même étoile que moi...

— Je vous en supplie, pour l'amour de moi, laissez-moi vous accompagner dans les jungles pour y mourir avec vous... murmura Vanderdorpe avec une sincérité absolue.

Pierre Claes répondit sans hésitation.

— Venez avec moi, mon ami... Nous mourrons ensemble...

Ce disant, il ferma les yeux, serrant un peu plus la main de Vanderdorpe, qu'il n'avait pas lâchée.

LE SOUVENIR DE MPANZU était demeuré vif chez nombre de celles et ceux qui avaient croisé sa route. Plusieurs années après son passage dans un village ou auprès d'un groupe de chasseurs ou de travailleurs, on parlait encore de ce jeune aventurier tatoué qui se revendiquait de toutes les cultures et de toutes les couleurs, se disant, avec une extraordinaire assurance, le plus libre des Noirs et le plus libre des Blancs. La nouvelle de sa mort s'était répandue rapidement dans tout le pays, se rendant jusqu'à la côte ouest où elle avait trouvé Silu, sa sœur cadette.

Silu, âgée de quinze ans, se souvenait comme d'un rêve du départ de son frère, chassé du village natal car il avait refusé d'y prendre femme et de se plier au strict carcan social qui définissait pour les siens la vie de chacune et chacun, depuis des temps dont on avait perdu l'origine. S'apprêtant à prendre la route, peu avant l'aube, Mpanzu avait réveillé sa sœur sans bruit. Doucement, à l'oreille, il lui avait annoncé son départ et promis qu'au bout de son voyage, lorsqu'il aurait réuni en lui toutes les connaissances et toutes les sagesses du monde, lorsqu'il aurait fini de rassembler en sa jeunesse autant de vies qu'il y a de variétés de fleurs, il se changerait alors en oiseau et viendrait par les airs la retrouver et l'emmener avec lui. Il avait alors glissé dans sa petite main encore endormie une plume d'un rouge lumineux et magique qu'il avait directement volée à la queue d'un perroquet, lui assurant que jamais, contrairement aux autres plumes des autres oiseaux, celle-ci ne perdrait sa couleur et son éclat. L'embrassant une dernière fois, il avait disparu dans la nuit.

Sept ans plus tard, Silu s'enfonça à son tour dans les jungles, déterminée à retrouver les assassins de son frère. Elle laissait peu de choses derrière elle ; trois années plus tôt, des soldats aux ordres de Léopold II avaient incendié son village. Plusieurs femmes avaient été retenues comme otages et tous les hommes en âge de travailler avaient été réquisitionnés de force. Ceux qui avaient tenté de résister avaient été abattus et leurs corps abandonnés sur place. Silu, comme plusieurs autres jeunes filles, avait été violée à plusieurs reprises. Elle abandonnait désormais son village et sa vie sans autre sentiment que celui d'un vide glacé, les yeux bordés de larmes sèches, bien décidée à ne pas mourir avant d'avoir libéré l'immense colère qui ne la tuait déjà que trop. Une plume de perroquet, splendide et rutilante, éclairait sa chevelure noire, qu'embrassaient en l'embrasant les prémices rouges de l'aube.

•

Silu se rendit à pied dans la région de Boma où un Bembe descendu du nord-est avec une caravane de marchands musulmans lui dit qu'elle apprendrait très certainement des détails sur la mort de son frère en s'adressant à un chasseur qui se faisait appeler Succès

Espérance. Succès Espérance revenait régulièrement à Matadi où il était respecté des Blancs, qui payaient de fortes sommes pour se l'attacher comme guide lors de leurs voyages vers Léopoldville. Silu remercia le Bembe et reprit son chemin en direction de Matadi.

Succès Espérance ne fut pas difficile à trouver. Son nom était sur toutes les lèvres de Matadi. Il s'apprêtait à accompagner à Léopoldville trois agents belges fraîchement débarqués. Succès Espérance avait connu Mpanzu. Ils avaient chassé ensemble. Succès Espérance avait été l'un des premiers à tatouer Mpanzu. Il lui avait gravé et coloré dans le bas du dos une série de lignes évoquant les ailes de la chauve-souris géante qu'ils avaient un soir capturée. Ces lignes, avait dit Succès Espérance à Mpanzu, le protégeraient de l'obscurité et du monde de la nuit. Succès Espérance avait été très peiné d'apprendre la mort de Mpanzu. Il savait que cela était arrivé le long de l'Ubangi, mais il n'aurait pu dire où exactement. Il proposa à Silu de l'accompagner jusqu'à Léopoldville ; ainsi sous sa protection, elle n'aurait rien à craindre des Blancs.

À Léopoldville, Succès Espérance mit Silu en contact avec un jeune voyageur nord-africain du nom de Mohammed Hadjeras. Mohammed Hadjeras était mathématicien, poète et parlait couramment sept langues. Il voyageait pour son plaisir et son érudition, travaillant parfois, par nécessité, pour les autorités belges et françaises. Mohammed Hadjeras avait connu lui aussi Mpanzu, pour lequel il avait développé une grande amitié. Ensemble, ils s'étaient rendus dans la région du lac Télé, dans le Congo français, où vivait, disait-on, une créature extraordinaire dotée d'un cou immense, le Mokélé-mbembé. En chemin, les deux hommes avaient partagé des chants et des poèmes. Mohammed Hadjeras inscrivit de manière indélébile à l'intérieur de l'une des cuisses de Mpanzu l'un des poèmes érotiques et bachiques du poète persan Abû Nuwâs, qui commençait ainsi :

> Proclame haut le nom de celui que tu aimes,
> Car il n'est rien de bon dans les plaisirs cachés...

Ils n'avaient point vu de Mokélé-mbembé. Mpanzu était reparti vers le sud, laissant Mohammed Hadjeras triste et songeur. Le poète avait été très choqué d'apprendre la mort de son ami. Lorsque Silu vint l'interroger, Mohammed Hadjeras s'apprêtait à prendre un vapeur en direction d'Équateurville. Il offrit à Silu de l'accompagner, il paierait pour son passage ; elle se rapprocherait ainsi de l'Ubangi et tous deux pourraient, chemin faisant, parler de celui qui hantait désormais leurs cœurs.

À Équateurville, Mohammed Hadjeras rendit visite en personne à Charles Lemaire, le commissaire du district de l'Équateur, pour l'interroger sur l'assassinat de Mpanzu.

— Qu'est-ce que vous voulez que ça me foute ? répondit le commissaire en allumant une cigarette hongroise. Des nègres, il en crève des dizaines par jours... Puis l'Ubangi, c'est pas mon district... Mais oui, je m'en souviens de celui-là, un peu tapette, tout décoré, quoique pas laid le gamin, si j'avais été de la jaquette... J'aurais peut-être pas dit non à un petit coup... Montés comme y sont, ces bougnoules en plus... C'est qu'on s'amuse comme on peut ici... Vous, les bicots, vous connaissez ça la ramone entre hommes, non ? Haha ! Vous rougissez, mon cochon... Vous savez, moi, du moment que queue crache, peu importe où elle se cache... Enfin bref, si vous voulez mon avis, c'est le Chinois qui l'a buté votre macaque... Un type louche... Vous savez comme ils sont les Jaunes, pas un pet en surface, mais dans le citron ça carbure... Vicieux, je vous dis ! Demandez autour de vous... Le niakoué a tenté de découper un de nos agents avant de foutre le camp dans la jungle... D'ailleurs, si vous me le retrouvez celui-là je vous en devrai une sacrée... Bon allez ! Foutez-moi le camp de là, j'ai de la paperasse... Je vous souhaite toujours bonne chance, mais si vous voulez mon avis, oubliez-le, votre nègre... Faut pas s'attacher ici... On s'attache pas en enfer...

Mohammed Hadjeras essuya une larme de rage en sortant du bureau du commissaire. Cette visite n'avait toutefois pas été inutile, il savait désormais que Mpanzu avait connu un Chinois qui semblait particulièrement déranger les autorités belges. Mohammed relata à Silu sa rencontre avec Lemaire. Tous deux se mirent d'accord sur le fait qu'il leur fallait absolument faire la rencontre de ce mystérieux Chinois.

•

L'affaire Claes avait fortement marqué les esprits. Un homme de couleur avait tenté de découper vivant un colon blanc. Tout bonnement inadmissible. L'administration belge d'Équateurville présentait ainsi Xi Xiao comme un dangereux détraqué, un esprit malin, ennemi du projet civilisationnel, menaçant tant les Noirs que les Blancs. Et pourtant, parmi les indigènes, le nom de Xi Xiao circulait comme celui d'un héros, comme le nom d'un être de légende, un être magique et vengeur qui avait découpé l'envoyé du roi venu pour découper l'Afrique. Le nom de Xi Xiao était devenu synonyme de résistance et d'espoir. Déjà plusieurs révoltes avaient éclaté dans le pays. Un agent du poste de Bojoka, sur l'Ubangi, avait été lynché par des travailleurs. Rapidement matées, ces insurrections n'en avaient pas moins ravivé une certaine fierté parmi la population colonisée.

Silu et Mohammed Hadjeras apprirent de travailleurs qui, déchargeant les steamers venus de toutes parts, connaissaient les nouvelles de la jungle bien avant tout le monde, qu'il se disait au nord qu'un homme à la peau de cuivre s'était installé au sein d'une communauté pygmée, deux-cents kilomètres en amont sur le Congo. Pour ces travailleurs, il ne faisait aucun doute que cet homme de cuivre était nul autre quc le fameux Xi Xiao. Silu et Mohammed Hadjeras prirent le premier steamer pour Bangala, au nord d'Équateur-ville, tous deux impatients d'en apprendre plus sur cet homme que l'on disait fils du soleil et frère de la nuit.

LES PYGMÉES AVAIENT TROUVÉ XI XIAO épuisé et nu dans la jungle, abrité au creux d'une racine géante. Il n'avait avec lui qu'un sac de jute contenant une cassette en bois ornée d'un signe étrange et compliqué. L'un des hommes les plus forts du groupe de chasseurs l'avait alors pris sur l'une de ses épaules, comme il aurait porté une proie, et tous étaient retournés au village de huttes du nom de Demba qu'ils habitaient à quelques kilomètres de là. Jamais encore, d'aussi longtemps que l'on se souvenait, l'on avait vu d'homme ainsi doré. On supposa un moment que Xi Xiao était un esprit de la nuit égaré dans le jour, puis on comprit qu'il était bel et bien un homme et qu'il venait de loin, d'au-delà les forêts et les mers dont on avait entendu parler.

Les premiers jours qu'il passa aux côtés des Pygmées Benzi de Demba, Xi Xiao ne cessa de pleurer. Il refusait de manger et semblait porter le poids d'une inconsolable peine. On en vint, dans le village, à supposer que cet homme d'or n'avait pu que vivre les douleurs d'une immense perte d'amour pour demeurer si également affligé malgré le soleil et les jours. On avait déjà vu par le passé certains hommes et certaines femmes s'abîmer, à la suite de deuils ou d'amours échouées, en des désespoirs qui les avaient menés à la mort. Certains singes même avaient été vus mourir de chagrin après que l'on eut tué leur mère, leur frère ou leur plus proche ami.

Xi Xiao dépérissait ainsi, sous les yeux attristés des Pygmées Benzi de Demba, quand un immense python de Seba vint rôder autour du village. La bête établit ses quartiers dans un terrier abandonné dont l'entrée profonde et évasée s'ouvrait parmi les racines sinueuses d'un arbre démesuré, à quelques mètres seulement de certaines habitations. Une chasse fut organisée pour déloger le serpent dont la présence menaçante pesait sur l'esprit de tous et particulièrement des parents de jeunes enfants, qui conservaient pour la plupart en mémoire le souvenir traumatisant de récits de petits garçons ou de petites filles brutalement happés par les crocs effilés d'un python pour être aussitôt broyés par ses impitoyables anneaux constricteurs. Outre ces appréhensions, la chair de l'animal était par ailleurs comestible et sa peau pouvait servir à confectionner des pièces de vêtement. Les habitants du village de Demba étaient résolus à tuer le serpent.

On proposa à Xi Xiao de se joindre à la chasse, ce qu'il accepta sans enthousiasme ni réticence. La technique utilisée pour sortir le python de son abri était particulièrement audacieuse. Un volontaire enduisait ses jambes d'un mélange de palmes déchiquetées et de sang de singe avant de s'enfoncer, jambes premières, dans l'entrée obscure du terrier. Une solide et souple liane lui était préalablement passée autour de la taille. Le serpent alléché par l'odeur du sang, confondant les jambes du chasseur avec une proie blessée venant directement se jeter dans sa gueule, commençait alors à l'engloutir. Quand il était enfoncé dans la gorge de la bête à mi-corps, l'homme secouait vivement la liane qui était aussitôt tirée par le reste des chasseurs demeurés à l'entrée de la tanière du reptile. S'ensuivait alors une épreuve de force opposant les hommes au serpent. Parfois la liane cédait et l'on entendait alors surgir des profondeurs de la terre les cris terrifiés de l'homme que semblaient digérer les boyaux du monde. En d'autres cas, le serpent perdait du terrain et, ne pouvant se défaire d'une proie qu'il avait déjà trop profondément avalée, était remonté à la surface où l'on découpait alors de chaque côté des jambes avalées sa gueule distendue jusqu'à libérer le chasseur à bout de forces. La bête fendue de part en part s'entortillait alors en crispations de douleurs et ne décédait complètement qu'après plusieurs heures d'agonie. Ainsi mourut le python du village de Demba.

Xi Xiao demeura hypnotisé par la beauté de l'animal. Les motifs de sa peau particulièrement l'émurent. Il lut, dans le velours de cette géométrie parfaite et naturelle, la suite secrète de son existence. Ayant échoué à découper Pierre Claes, il pensait avoir manqué le destin que lui avait pressenti son maître et que contenaient comme un programme absolu les deux idéogrammes, 暗黑, qui ornaient la cassette de bois contenant son matériel de maître-découpeur. Ce manquement au devenir représentait l'exclusion du monde et de l'amour. Pierre Claes avait été le monde et l'amour de Xi Xiao, en lesquels s'étaient recroquevillées comme *in utero* toutes les potentialités de sa vie. En le découpant, puis en le tuant Xi Xiao eût libéré la tristesse générale des choses pour alors mourir en l'être aimé comme en un berceau d'amour. À cela il avait échoué, échoué hors de sa vie, comme un marin aboutit sur une plage déserte à l'issue d'une vie d'aventures qu'il eût voulue remplie de jouissances violentes.

Or, scrutant les motifs merveilleux du python de Seba, Xi Xiao comprit qu'il lui restait encore une chance. Il lut dans cette beauté mutilée à l'agonie l'épilogue de son histoire. Il sut, à la vue de ces taches d'amour qui parsemaient le tissu d'écailles, qu'il lui restait une chance de revoir Pierre Claes. Des larmes de joie envahirent ses yeux. Les Pygmées Benzi de Demba furent surpris de voir que le cadavre du python, également, s'était mis à pleurer.

•

Une nuit, en rêve, le géomètre apparut à Xi Xiao, cicatrisant à l'abri d'une lourde moustiquaire sous les draps de coton de l'hôpital européen du docteur Dryepondt. Un immense serpent l'embrassait. Xi Xiao sut alors avec certitude qu'il reverrait Pierre Claes. Le lendemain de ce rêve, Xi Xiao proposa à quelques guerriers de les tatouer, ce que ceux-ci acceptèrent avec joie. Ils demandèrent à ce que l'un des côtés de leur visage soit orné de motifs d'une beauté au moins égale à celle des motifs du python de Seba qu'ils avaient chassé ensemble. Xi Xiao vit là l'occasion de se replonger dans les dessins sans pareils de la nature dans lesquels il avait deviné le pardon du monde et qui l'avaient tant ému.

À l'issue de plusieurs jours d'ébauches et de travail, Xi Xiao parvint à produire une fresque merveilleuse courant de la tempe à la mâchoire de l'un de ses compagnons. Se penchant au-dessus d'une mare et se voyant si beau, l'homme, du nom de Goma, crut y voir un esprit avant de réaliser qu'il observait là son propre visage. Il se mit à rire de joie. Toute la communauté de Demba regroupée autour de lui, bouleversée par l'art de Xi Xiao, entonna alors spontanément un chant polyphonique d'une rare complexité. Jamais Xi Xiao n'avait entendu une telle musique auparavant. Ayant été initié par ses maîtres aux subtilités de l'avenir, il n'aurait jamais pensé être ainsi surpris, au plus profond de la jungle, par une forme nouvelle d'art et de mélancolie. Chaque chanteuse, chaque chanteur semblait progresser librement dans ses variations mélodiques sans jamais toutefois rompre l'équilibre général et fragile de la pièce. La musique bourdonnait parmi les arbres comme le son d'une ruche géante et harmonieuse, tout emplie de miel sucré. Xi Xiao comprit que les Pygmées Benzi de Demba lui offraient une version musicale des motifs de la peau du python de Seba. Chaque voix était une ligne offerte aux puissances de l'avenir, croisant les unes et les autres dans la découpe perpétuelle du monde. Les Pygmées Benzi de Demba, tous ensemble, offraient en chantant un avenir à Xi Xiao pour le remercier de son art. Tous réunis en cercle, ils lui donnèrent une autre vie.

Les jours suivants, Xi Xiao offrit à qui le souhaita d'être tatoué aux motifs du python. Il tatoua une semaine durant. Un matin, un chasseur revenant d'expédition lui annonça qu'une jeune Bantoue et un Africain du Nord étaient à sa recherche. Ils arrivaient de Bangala et venaient d'atteindre la station d'Upoto, à quelques dizaines de kilomètres au sud du village. Le lendemain, après des adieux émus, Xi Xiao prit la route d'Upoto, escorté de deux chasseurs.

•

Se sachant certainement recherché par les autorités coloniales, Xi Xiao ne voulait pas s'exposer directement dans Upoto. En vue de la station, l'un des deux chasseurs qui l'accompagnaient, du nom de Kombo, s'offrit de partir en éclaireur pour aborder les travailleurs locaux et les interroger sur la présence dans les environs d'une jeune Bantoue accompagnée d'un Africain du Nord. Le hasard voulut qu'il tombe sur Silu elle-même, qui attendait Mohammed Hadjeras au pied d'un bananier. Ce dernier était allé interroger des colons blancs au sujet de Xi Xiao. En quelques mots et signes maladroits, Kombo, qui ne connaissait presque rien de la langue de Silu, parvint à lui faire comprendre qu'il pourrait la mener à l'homme qu'elle cherchait.

— Est-il dangereux ? tenta de lui demander Silu.

Mais le chasseur peinait à comprendre. À ce moment revint Mohammed Hadjeras qui avait, au cours de ses voyages, collecté et appris quelques éléments des langues pygmées du bassin du Congo. Il s'entretint quelques instants avec l'envoyé de Xi Xiao, puis se tourna vers Silu.

— Il dit que l'homme que nous recherchons est le plus doux des êtres, le plus amoureux aussi, et que jamais il ne nous fera du mal...

Xi Xiao et le chasseur resté auprès de lui attendaient à l'abri de hautes herbes le retour de leur ami en partageant une longue pipe de tabac. Mille oiseaux peut-être chantaient autour dont les harmonies transperçaient les êtres comme des radiations. Un trio de singes Moustac aux longues queues orange passa d'arbre en arbre. Renouant progressivement avec l'avenir, Xi Xiao comprit que leur compagnon ne reviendrait pas seul.

Silu, Mohammed et Kombo les rejoignirent à la tombée de la nuit.

— Est-ce vrai que tu as connu mon frère Mpanzu ? demanda Silu à Xi Xiao.

— Oui, j'étais là le soir de sa mort, lui répondit Xi Xiao en ce mélange de langues et de signes qui composait son mystérieux et universel sabir.

— Tu connais donc le nom de celui qui l'a tué ?

— Oui, son nom est Honoré Tounens... Il était avec un autre homme du nom de Joseph Leclerq...

— Mène-moi à eux et je les tuerai...

La nuit était tombée. Les yeux de Xi Xiao luisaient légèrement dans l'obscurité. Il sourit pour la première fois depuis des mois.

LES MOTS NOIRS SUR BLANC déployèrent leur incroyable phrase sous les yeux ébahis de Pierre Claes. Par deux fois, tant il tremblait, il dut ressaisir le papier journal dont l'encre grasse tachait ses doigts et, par contamination, la nappe blanche du Café Léopold sur laquelle lui et Philéas Vanderdorpe achevaient leur petit déjeuner. Orientés vers l'ouest, à l'abri pour quelques heures encore du soleil ascendant, à l'exacte même table à laquelle Pierre Claes avait fait, plus d'une année auparavant, la rencontre du cruel von Wissmann et de sa guenon Lily, les deux hommes paressaient devant les reliefs colorés des œufs et des fruits qui leur avaient été plus tôt servis par de jeunes garçons noirs et tristes, tout habillés d'or et de bleu. La rumeur, paisible, de la ville montait à eux comme un vent chaud, faisant trembler l'air et ses troubles émotions.

Pierre Claes avait entamé la lecture du *Bulletin officiel de l'État indépendant du Congo*. Les mots apparurent.

> [...] funérailles du sous-lieutenant Honoré Tounens et de l'aspirant Joseph Leclerq assassinés sauvagement au poste de Zongo où tous deux officiaient valeureusement depuis maintenant vingt-quatre mois auront lieu [...]

Claes reconnut immédiatement les noms des deux morts. Il comprit que Mpanzu avait été vengé. Sans donner d'explication à Vanderdorpe, il se leva et prit le chemin des bureaux du colonel Peeters, l'homme à la tête, à cette époque, de l'équivalent congolais de la Sûreté belge. Celui-ci l'attendait.

— Claes ! Vous avez lu l'article dans le bulletin, n'est-ce pas ? Et avant même que vous me le demandiez, je vais vous répondre : nous avons toutes les raisons de croire qu'il s'agit d'un coup de votre fameux Chinois...

Claes s'assit, parvenant difficilement à masquer le trouble qui l'engourdissait, un mouvement intérieur d'excitation fébrile et d'angoisse, une sorte de piqure acide et tonique qui serrait sa gorge et mouillait ses yeux. Le colonel Peeters, d'un ton presque satisfait, alors certain de réussir son effet, lui expliqua qu'un mois plus tôt Honoré Tounens et Joseph Leclerq avaient mystérieusement disparu. Leurs corps furent découverts une quinzaine de jours plus tard, à une centaine de mètres à peine du poste de Zongo. Tous deux avaient été intégralement dépecés et vidés de leur sang. Leurs langues et leurs yeux manquaient et avaient été remplacés par un mélange d'herbe sèche et de terre. Les organes génitaux, les mains et les pieds étaient amputés. Un grand nombre de muscles avaient été sectionnés, morcelés et réduits de telle façon que le squelette, en de nombreux endroits, fût clairement apparent. La propreté et la précision des blessures excluaient toute intervention animale avant, pendant et après le décès des deux jeunes soldats. Les insectes mêmes avaient délaissé les corps qui étaient apparus immaculés à ceux qui les avaient retrouvés, leurs visages crispés dans une expression d'horreur.

— Et ce n'est pas tout, mon cher, poursuivit le colonel. Leurs peaux gisaient à côté d'eux... Et figurez-vous qu'elles avaient été tannées ! Nous les avons d'ailleurs conservées comme pièces à conviction...

Le colonel Peeters fit sonner une clochette. Un officier rougeaud et suant fit immédiatement son entrée dans le bureau, comme s'il avait attendu tout ce temps derrière la porte, en bon chien, que le tintement l'appelle.

— Crevirol, apportez les peaux !

— Tout de suite, mon colonel !

Une dizaine de minutes passèrent et l'officier Crevirol revint, toujours humide et rouge, poussant un chariot sur lequel trônait une caisse en bois. Le colonel Peeters lui désigna son propre bureau d'un air entendu et Crevirol, comme habitué à cette manœuvre, ouvrit d'un geste précis et net le couvercle de la large caisse avant d'en ressortir ce que Pierre Claes prit d'abord pour une sorte de manteau de ville et de l'étaler à même le bureau. Sans hésitation aucune, il sortit la seconde peau de la même façon. Chacune était incisée en de multiples endroits et pourtant tenait en un seul morceau allant de la tête aux chevilles en passant par les bras et le torse. Les incisions suivaient des lignes tatouées parcourant l'épiderme, courant en arabesques et en boucles folles. Pierre Claes, stupéfié, ne dit rien. Crevirol et Peeters se regardèrent alors, comme les complices d'un numéro qu'ils auraient préparé depuis des jours.

— Pourrais-je vous demander, mon cher Claes, et ceci, je vous l'assure, pour le bien de notre enquête, dans le cadre de la stricte intimité de ce bureau, de bien vouloir... si cela vous convient... de bien vouloir retirer votre chemise ?

Pierre Claes défit un à un les boutons de sa chemise et se mit torse nu.

— Identiques ! Je l'aurais parié, Crevirol ! s'exclama le colonel, voici exactement la preuve que nous attendions...

Le torse dénudé de Pierre Claes offrit aux regards silencieux et graves de Peeters et de son sous-fifre les mêmes motifs ahurissants et fous qui s'étaient emparés des peaux de Tounens et Leclerq, les réduisant à l'état de fantômes exsangues et dégonflés, échoués, comme les méduses des plages grises aux ciels bas et mornes de la mer du Nord, sur le bureau en bois rouge de mukula d'un colonel de la Sûreté. Regardant les peaux et regardant les regards, compatissants et asthéniques, des deux êtres en uniformes qui le scrutaient comme scrutent seulement les animaux et les enfants, Pierre Claes comprit qu'il portait lui aussi, sur ses chairs vives de jeune colon belge au service du roi, l'un de ces fantômes morts. Peeters tira un lambeau de l'un des tas de restes d'homme qui se trouvait devant lui.

— Et regardez... Votre Chinois a même laissé un poème ! En allemand !

Il désigna un bout de peau sur lequel on pouvait déchiffrer ce qui s'apparentait à des vers, qu'il traduisit.

Cela, que les hommes ignorent,
ou dont ils n'ont pas idée,
à travers le labyrinthe du cœur,
chemine dans la nuit.

— On a cherché, au cas où le texte nous apporterait des informations... Figurez-vous, mon cher Claes, qu'il s'agit là ni plus ni moins, je vous le donne en mille... d'un poème de Goethe ! Pas mal pour un Chinois sanguinaire !

Claes bouillait sous son calme apparent, tout en lui eût voulu violemment bondir de sa chaise, enjamber le bureau de bois rouge et les deux fantômes de chairs tannées, défoncer le mur qui lui faisait face et courir de panique et d'amour à travers les jungles jusqu'à Xi Xiao, jusqu'à ses mains de caresse et de mort, ses mains d'orgasme et de rage, et confier toutes ses larmes au cœur ténébreux du labyrinthe de sa nuit. Au lieu de cela il ne sut que balbutier une banale question concernant des faits sans réelle substance.

— Mais pourquoi ne m'avez-vous pas convoqué dès que vous avez reçu les peaux ?

Le colonel soutint un instant de silence.

— Nous aurions fini par bientôt le faire... Mais nous étions curieux de savoir si vous viendriez par vous-même, si vous étiez encore curieux de ces histoires et des affaires du Congo... Le roi s'est ému de votre histoire, vous savez... Ordre de ne pas vous brusquer... Mais vous êtes venu ! Je m'en réjouis, Claes, je m'en réjouis... Car je sais que je peux maintenant vous poser cette question que le roi me fait vous transmettre : *Mon cher Claes, iriez-vous dans la jungle, accompagné d'une troupe de soldats, retrouver le Chinois et le tuer ?* Claes, Léopold II vous offre de vous venger et de venger par là-même l'honneur de la Belgique et de l'Homme Blanc... Ordre sera donné aux soldats de vous le confier vivant, et vous aurez alors tout le loisir de graver à la baïonnette l'œuvre intégrale de Johann Wolfgang von Goethe sur ses couilles si cela vous chante...

EN RÉALITÉ, CE FUT MOHAMMED HADJERAS qui inscrivit les vers de Goethe à l'intérieur de l'une des cuisses d'Honoré Tounens. Celui-ci était alors encore vivant. Xi Xiao lui avait sectionné la moelle cervicale, comme il l'avait également fait à Joseph Leclerq, de façon à ce qu'il demeure immobile. À même les corps des deux jeunes Belges, il avait initié Silu et Mohammed Hadjeras aux arts secrets du tatouage et de la découpe humaine.

Il est bien important ici de préciser que les trois compagnons ne commirent pas cet acte ni ceux qui le suivirent par goût du sang, ou suivant ce penchant à la barbarie que l'Occident attribuait à tout autre que lui. Xi Xiao, Silu et Mohammed Hadjeras entamèrent leur entreprise de découpe au cœur de l'Enfer colonial, baignant dans une horreur éthérée qui dissolvait les âmes, glissant le long d'une pente de désespoir, de colère et de larmes qui les avait menés bien plus loin qu'eux-mêmes, aux limites érotiques et violentes de l'existence. Le monde s'effondrait, tout leur avait été pris, ne leur restaient que les mystères raffinés de cette mystique ténébreuse des chairs et des destins. En elle ils trouveraient la possibilité d'allumer un feu. Une brillance de refus et de rage. Une clarté. L'avenir au prix du sang.

Ils avaient atteint les environs de Zongo quelques jours auparavant. Mohammed Hadjeras avait pénétré le poste, prétendant être un marchand d'esclaves venu de l'est, et n'avait pas tardé à faire la rencontre de Leclerq et de Tounens. Le soir venu, il était parvenu à verser une décoction de pavot somnifère que lui avait confiée Xi Xiao dans le vin de la cantine. Rapidement, tous les Blancs du poste furent mis hors d'état d'agir. Arrivèrent alors Xi Xiao et Silu qui aidèrent Mohammed Hadjeras à transporter les corps inertes des assassins de Mpanzu assez loin dans les jungles pour qu'il devînt impossible de les retrouver. Les travailleurs africains du poste, enrôlés de force et exploités, constamment humiliés, mutilés pour certains, ne dirent rien et regardèrent les trois complices disparaître dans la nuit avec leurs victimes endormies.

Observant Silu dépecer le corps encore vif de l'aspirant Leclerq, Xi Xiao comprit à la façon dont la jeune femme faisait courir sa lame sur les arabesques d'encre et de sang dessinées à la surface de la peau du militaire qu'il avait rencontré l'élève qu'appelait son rang de maître. Déjà, il avait perçu en Mpanzu ce don extrême de sensibilité que requérait son art; il découvrait en sa sœur une intelligence de la chair d'une pureté extraordinaire. Xi Xiao entrevoyait en Silu un sens inné du devenir et une compréhension profonde des mécanismes érotiques de la transgression.

De son cœur, Silu avait su irriguer ses doigts, chacune de leurs extrémités électriques et nerveuses avait reçu, comme un don glacé, le sens de la mort et du plaisir, du deuil de jouissance et de la jouissance de deuil, et ce courant froid tout entier affluait en sa tête et en son sexe, y portant une souffrance immense, un flot de larmes et de lymphe, et le vif éclat d'une rage de joie. En mutilant les deux soldats impuissants dont les yeux grands ouverts ruisselaient d'horreur, Silu sentit, dans une bouffée d'avenir et de puissance, venir à elle le cri sans fond qu'elle avait toujours porté et qui avait fait d'elle une femme à part, elle qui - elle le découvrait alors sous les morceaux de peau qu'elle décollait de leur graisse, au creux des estomacs qu'elle vidait à terre, à l'intérieur des testicules gras qu'elle fendait - avait depuis sa naissance eu la prescience de la mort de son frère, du saccage de son village, du massacre des siens, du viol de l'Afrique et du suicide de tous les dieux. Dorénavant, elle appellerait Xi Xiao *maître*, et Xi Xiao l'appellerait *souveraine*, car il n'est pas de puissance plus grande que celle de ceux qui s'initient à l'avenir.

•

Il fallut d'autres corps pour exercer le talent de Silu et parachever sa formation. Obliquant vers le sud, les trois amis rejoignirent le poste isolé de Gongo qu'occupaient alors trois agents coloniaux crasseux et malades qui se contentaient paresseusement, à tour de rôle et recourant à toutes sortes de violences, de harceler leurs travailleurs pour les contraindre à amasser toujours plus de caoutchouc, assurés de leur relative docilité de par le groupe de femmes et d'enfants retenu en otage à Bangala, à quelque deux-cents kilomètres de là. Xi Xiao estima que ces trois-là feraient l'affaire.

Infiltration de Mohammed Hadjeras, décoction de pavot somnifère, le stratagème utilisé fut le même qu'à Zongo à l'exception qu'il ne fut pas nécessaire de fuir le poste pour découper les victimes. Une fois encore, les travailleurs indigènes n'opposèrent aucune résistance à la neutralisation de leurs exploiteurs. Ils ne manifestèrent aucune joie non plus. Ils paraissaient anéantis. Aucun ne comprenait vraiment ce qui était arrivé à leurs vies. Tout, autour d'eux, était devenu mort, peine et violence. Ils ne parlaient plus que très peu.

La découpe et la mise à mort des trois Belges furent particulièrement longues et éprouvantes. Xi Xiao insista pour qu'il en fût ainsi. À l'aube, quand il ne resta plus, du tas de chairs qu'ils étaient devenus, de vivant qu'un crâne nu qu'abreuvait en sang un semblant de torse palpitant, ce crâne, chose curieuse, se mit à chanter. Cette tête, dépourvue d'yeux, de peau et de muscles, entrouvrant doucement sa mâchoire, émit de son nez une sorte de meumeument faible et aigu, naïf et touchant comme le chant d'un chien, modulant les notes simples d'une ancienne chanson populaire. Le crâne s'agitait légèrement de gauche à droite, faisant jouer les quelques muscles qui lui restaient. Il paraissait apaisé, bercé par cette petite musique qui surgissait des reliefs de son corps. Dans cette face abrupte, qu'elle avait elle-même défigurée, Silu vit à nouveau un homme. Elle pensa à l'âme aveugle et impuissante prisonnière de cette tête d'os qui gisait à ses pieds et qui, du creux de l'horreur, achevait de vivre par une chanson, comme par un réflexe bonhomme, comme meurent les gens simples quand vient le temps de creuser leur propre tombe. Elle eut une pensée de pitié pour cet homme venu de si loin pour devenir si cruel. Jamais encore elle n'avait eu une telle conscience du mal et de sa puissance. Elle souhaita avoir vécu mille ans plus tôt ou mille ans plus tard. Puis la tête mourut.

•

Le degré d'horreur dans lequel l'Europe maintenait le Congo ne cessait d'augmenter de semaine en semaine. À mesure que des rébellions s'organisèrent, les répressions se firent plus violentes encore, plus froides et aveugles. Un délire de haine et de rage anima d'un feu nouveau la concupiscence d'hommes à l'ordinaire affables et prévenants, certains de ceux que l'on pouvait par ailleurs qualifier de *bons pères de famille*, Bruxellois, Londoniens, Parisiens, Berlinois chez qui le feu du pouvoir et des promesses de quantités toujours plus grandes d'ivoire et de caoutchouc révélait une hargne atavique et agressive, une ambition de maître, longtemps réprimée, comme une urgence de viol, exacerbée par des siècles d'une étrange maladie.

Jamais n'avait-on vu encore, à une telle échelle, d'organisation si rationnelle et intéressée de la mort. En chaque coin du pays, des subordonnés de cet État mortifère et raciste, amorçant ce qui reviendrait, en dernier lieu, au suicide de leur propre civilisation, assassinaient par centaines de milliers des vies africaines qu'ils eurent voulu oubliées dans les brumes de leur délire. Le sang et la boue se mêlaient au sol comme ces insectes qui s'aiment d'une étreinte mécanique et furieuse, se dévorant le cou, les yeux ouverts sur la mort, le fond impossible de la vie.

Upoto, Iambiga, Basoko, trois postes où Silu, Xi Xiao et Mohammed Hadjeras, procédant toujours selon le même mode opératoire, continuèrent de découper au rythme de leur remontée du fleuve Congo. Silu, désormais, excellait dans la pratique du tracé et de la découpe, et loin des premières difficultés techniques, elle consacrait maintenant sa colère à chercher, en chacune de ses victimes, le secret de l'horreur humaine.

Quand et où arrêter cette errance d'art et de sang ? Xi Xiao se le demandait parfois. Confiant en l'avenir, il savait que toute cette violence le rapprocherait nécessairement de Pierre Claes. Mais il ignorait comment le monde, exactement, le ramènerait à son amour. Jusqu'au jour où il fit la rencontre de John et Mary McAlpine. Alors Xi Xiao sut comment, et son devenir devint limpide, coulant comme une eau claire, de ce moment précis jusqu'à celui, non moins précis, de sa mort.

LA NOUVELLE DES ASSASSINATS d'Upoto parvint à Léopoldville au début du mois de janvier 1892, alors que la seconde expédition Claes, expédition non plus scientifique mais punitive, achevait ses derniers préparatifs. Une troupe de douze soldats avait été attribuée à Pierre Claes pour retrouver et éliminer Xi Xiao. Celle-ci était commandée par le capitaine Jolliot-Saint-Cœur, jeune homme d'énergie et de volonté, d'origine normande et dont il se disait parfois, à demi-voix, qu'il officiait au Congo à titre d'espion français. À la demande de Claes, Vanderdorpe fut attaché à l'expédition comme médecin. Trois chasseurs originaires des chutes Stanley officieraient comme guides et interprètes. Une quinzaine de porteurs se partageraient le poids écrasant du matériel, des vivres et des munitions.

On apprit les meurtres de Iambiga et de Basoko quelques jours avant le départ. La localisation du bourreau chinois se précisait. Le plan était extrêmement simple. Un vapeur, le *Ville de Bruxelles*, dont le capitaine était allemand, avait été affrété pour l'expédition. Il remonterait le Congo jusqu'à Basoko. À partir de là, on interrogerait les agents en place et les populations locales. Tout serait mis en œuvre pour que le filet se resserre sur celui qui avait osé défier l'État indépendant du Congo et que la presse présentait désormais comme le *Minotaure jaune*.

Pierre Claes avait retrouvé quelques forces. Ses plaies s'étaient, disait le docteur Dryepondt, assez cicatrisées et raffermies pour qu'il puisse retourner dans la jungle. Outre les arabesques étranges qui enlaçaient son corps, la peau de Pierre Claes était désormais parcourue, là où avait glissé la lame amoureuse de Xi Xiao, d'un réseau de chair jeune et rose, sorte de pâte d'amande carnée qui réconciliait, comme pleine de patience et de bonne volonté, les épais pans de peau qui avaient rompu. Le géomètre semblait tirer une énergie nouvelle de ce surgissement de jeunesse en lui qui, comme un cancer de vie, courait à sa surface, y proliférant comme une plante folle, ancrant racine pour finalement prendre le relais de sa destinée. Cette jeune peau était celle d'un bébé. Pierre Claes savait qu'il n'y en aurait pas d'autre et que se donnant à nouveau au Congo, il s'y donnerait comme un être neuf, à peine dégagé de sa mère, un amas de chair encore prêt à mourir, comme le sont tous les animaux qui arrivent sur Terre, avant que le spasme de l'existence ne les saisisse complètement. Dans cet Enfer de ténèbre, il redescendrait ainsi, naïf et pur, ayant délaissé sa vieille peau dans une vie passée, déterminé à retourner à la terre, cette terre africaine qu'il avait voulu trancher.

•

Le *Ville de Bruxelles* partit de Léopoldville le 21 janvier 1892, emportant à son bord un père dans le secret, et un fils dans l'ignorance, tous deux apaisés à l'idée de ne jamais revenir.

Le 10 février, il fit une courte halte à Équateurville. Le commissaire du district de l'Équateur, Charles Lemaire, voyant venir à lui Claes et Vanderdorpe, eut l'étrange impression de voir ressurgir deux fantômes, bien qu'ayant appris la nouvelle de leur survie, tant il les avait imaginés morts l'un et l'autre ; l'un en pièces détachées, l'autre sec et raide comme un vieux sage d'Orient. Il offrit à chacun l'usage d'une de ses filles de joie, offre qui fut déclinée.

Équateurville s'était quelque peu développée depuis le premier passage de Claes, plus d'un an auparavant. Un bâtiment de pierre avait émergé, abritant l'administration du district. Plusieurs autres, charpentés à la manière occidentale, l'entouraient. Des rues apparaissaient, çà et là, de terre battue, aisément carrossables. Puis, s'éloignant un peu de ce carrefour administratif et marchand, Claes aperçut un groupe de travailleurs indigènes assis dans l'ombre profonde d'un foisonnement de palmes. C'était un groupe de spectres. Chacun n'avait plus de vivant que le sang clair qui courait dans ses veines et la brillance rouge qui voilait l'infini de ses yeux. Ces hommes avaient été épuisés à en mourir. Ces hommes avaient été humiliés, violentés, meurtris, brisés dans leurs affections, mutilés dans leurs amours, leurs existences, leurs aspirations et leurs rêves. Au Congo maintenant depuis presque deux années, Claes ne le savait que trop. On les avait parqués là comme l'on parque un bétail de peu d'importance, que la chaleur a mortellement gâté et que déjà les mouches harcèlent. Que faire ? songea Pierre Claes. Prendre son fusil, tirer une balle dans la tête de Lemaire, comme il l'avait fait aux deux agents de Mokoangai ? Inutile. Retourner le fusil contre soi ? Certainement une des choses les plus sensées à faire. Mais avant, il fallait retrouver Xi Xiao, lui permettre de terminer son œuvre et cracher à la face de tous les Charles Lemaire et de tous les Léopold II de ce monde. Pierre Claes s'éloigna du bosquet de palmes sans avoir eu le courage de regarder une dernière fois ces hommes dans les yeux.

Le *Ville de Bruxelles* repartit d'Équateurville le 12 février. Quelques minutes après son départ, chose extraordinaire, douze oiseaux-serpents surgirent des flots et se posèrent sur le pont du bateau, pliant et repliant leurs longs cous, scrutant l'équipage de leurs yeux fixes de colère, réclamant silencieusement quelque chose qu'on ne pourrait semblait-il jamais leur rendre. Ils demeurèrent ainsi quelques minutes, puis s'envolèrent.

•

L'angoisse et les fièvres revinrent. Pierre Claes remontait cette section du Congo encore inédite pour lui et qui, courbée comme une aorte ascendante, semblait pénétrer le cœur bouillonnant de l'Afrique qu'était le Congo. Pierre Claes, par moments, se sentait glisser dans le courant mauvais de la vie. Tout autour de lui mourait alors même que la quantité de vie grouillante sur et par-delà les berges paraissait ne trouver de limite que dans le poids du ciel. Pierre Claes se voyait couler dans le courant de ce sang brun comme le mauvais parasite qui lui rongeait les nerfs et l'assaillait en fièvres froides. Il coulait au cœur pour tuer l'existence et le goût de celle-ci se corrompait, s'infectait, devenait obscène. Il n'y aurait jamais de Dieu, cela était clair et jamais assez dit. La vie tuait la vie et tuer était mourir. Comme les insectes fondent par milliers sur leur mort durant la nuit et que la nuit s'ouvre sur le vide, comme les serpents sans tête et les grands yeux des bêtes, comme tous ces hommes, ces femmes, ces enfants haïs et tout le monde si haïssable, le monde entier, petites choses immondes coulant sur le monde, tout avait été gâché, pour toujours. Et douze soldats pour tuer. Douze gamins du roi. Douze chiens qui ne comprennent pas. Rien. Et puis l'horreur.

Pierre Claes perdit plusieurs fois connaissance. Il convulsait. Vanderdorpe diagnostiqua un stade avancé de la malaria, caractérisé par ces sortes de coma que provoque le parasite lorsqu'il atteint le cerveau.

Durant ces absences, Claes revoyait, par fulgurances, cette planète mauvaise qu'il avait entrevue dans ses délires à l'hôpital européen du docteur Dryepondt de Léopoldville, qui menaçait la Terre et qui, il l'avait compris, abritait l'histoire de celles et ceux qui, depuis des millions d'années, avaient conduit à son existence et au suicide du monde. De celles et ceux qui avaient bâti et sculpté des villes de pierre, qui y avaient disposé leur richesse, d'or et d'haleines douces, de matins amoureux et de privilèges. Cet astre abritait la volonté féroce d'un empire. À la façon particulière dont les organes gonflent dans certaines soieries luxueuses, des vulves dilatées aux verges débordantes, animales et violentes, riches, absolument riches, triomphant en hauteur, au-dessus du reste, au-dessus des peuples qui ne les voient plus, et à laquelle, dans ce contexte de pierre, il n'est personne au monde qui résisterait, qui ne serait assoiffé de jouissance et d'anéantissement, de tout ce qui mènera inévitablement au meurtre et à la domination cannibale.

Et les villes de pierre et d'or revenaient en l'esprit de Pierre Claes, à la faveur des comas, à la vision de l'astre sauvage, et toutes, Bruges, Florence, Venise, Cologne, Lübeck, éclataient. Rouges et tumescentes, dispersant un crachat de spores, fleurissant en cancer magnifique sur la peau de l'Europe, intouchable et merveilleux, niant la mort en un constant effort et se réfugiant en certains lieux d'art et de douceur, lieux fermés, alcôves, ruelles, où l'époux au teint livide de cadavre, paré d'étoffes rares, d'un geste de la main – de l'autre tenant celle de l'épouse – dessine le signe d'une piété définitivement terrestre, signe qui fait écho à ses yeux de richesse et de mort qui percent les âges et les mers jusqu'au cœur de l'Afrique que l'on tuera, comme les yeux de l'épouse sont ceux d'une fleur vivant trop peu, et l'épouse porte en son ventre gonflé, sous une robe épaisse d'un vert luxueux, contrastant avec le rouge vif de la courtine du lit, et au pied de laquelle sourit un petit chien, l'embryon de chair du germe de l'enfant potelé et laid qu'elle portera sur ses genoux, qui revendiquera le titre de Roi des Rois, de Roi du Monde et qui avidement lui gobera le sein, la dévorant.

En d'autres chambres coule une rivière de pierres précieuses le long de la gorge de l'épouse, toutes arrachées à la terre, et dans le cœur de ces mondes de pierre, en de véritables citadelles, l'on pousse le luxe jusqu'à l'excès, jusqu'à revendiquer les rêves, et les chambres closes deviennent loggias de palais à l'italienne, s'ouvrent sur le monde, de riches colonnes venant se substituer aux murs dans le soutien des plafonds, et l'intime devient un jardin suspendu, un jardinet de lys et de roses où vivent des paons, un lieu de vision où descendent les anges aux ailes colorées, y apportant de somptueuses couronnes, surplombant des villes marchandes et prospères, une ruche d'abeilles imparfaites où le vice profite à toutes et tous, le long d'un fleuve aux larges méandres, paisible, acheminant à la cité les vies et l'or d'ailleurs lointains, de mondes innocents et nouveaux, eux aussi condamnés.

En une autre chambre encore, le petit de la mère, maître du royaume, sourit et se dresse nu sur son giron, comme une fouine, la tête légèrement penchée en avant, les yeux comme des billes, déjà cernés par la vie, comme un petit mâle s'appropriant la technique et les livres, devant lui une orange, signe de paradis, il regarde au travers d'une haute fenêtre et voit le monde, qu'alors il comprend comme la dépendance merveilleuse de son existence de petit rat, et la mère se tait, tout absorbée par la tristesse de ses yeux et ses gestes ancillaires, et l'endroit est spacieux, un lit à baldaquin richement tapissé de soieries vertes, aux panneaux de bois sculptés de lys, une imposante cheminée, et dehors le ciel bleu de la ville, les marchands et les carillons, une porte s'ouvre au fond, laissant deviner le couloir d'une perspective profonde au bout de laquelle passe un homme, furtivement - vêtu d'une robe rouge et d'un capuchon bleu tandis que la mère revêt une robe bleue et une cape à capuche rouge -, comme un familier inconnu, peut-être quelqu'un d'autrefois aimé, portant maintenant la tête basse, détaché de la mère et de l'enfant, ne leur accordant qu'un bref regard coupable, tuant l'enfant du coin de l'œil, à l'extrémité du champ de vision, le réservant à la haine du réel, au meurtre de l'Afrique et à la mort de toute joie.

Et visitant une à une les mille chambres qu'abritait l'astre maudit, comme l'on visite un musée de peintures somptueuses, Pierre Claes sut avec certitude que cette planète frapperait la Terre, y anéantissant la vie, la heurtant en son cœur ténébreux, le cœur des jungles du Congo.

Chaque vision, chaque absence clouait littéralement Pierre Claes au sol. Il revenait péniblement à lui, au bout d'une vingtaine de minutes, se réveillant aux soins inquiets de Vanderdorpe. Tous deux constataient alors que les draps de la couchette dans laquelle on avait transporté le géomètre étaient tachés de sang. Les cicatrices qui enserraient le corps de Pierre Claes lentement se défaisaient, comme si cette peau nouvelle qui avait surgi en lui ne demandait pas à vivre au-delà de son enfance et se saignait à l'orée de son existence.

LE *VILLE DE BRUXELLES* ABORDA le poste des chutes Stanley un soir du début du mois de mars. Pierre Claes en descendit péniblement, aidé de Vanderdorpe et de Jolliot-Saint-Cœur qui, tout espion français qu'il eût pu être, n'en avait pas moins fait preuve, depuis le départ de Léopoldville, d'une prévenance toute spontanée envers son chef de mission. C'est lui, tandis que Claes délirait de fièvre, littéralement agrippé aux draps de sa couchette de toute la force de ses poings osseux, qui avait enquêté avec zèle auprès des populations indigènes et des agents des postes d'Upoto, d'Iambiga, de Basoko et d'Isangi, recoupant les témoignages, les vérifiant tant que possible, promettant des récompenses à qui mènerait au Chinois sanguinaire. C'est Jolliot-Saint-Cœur qui, le premier, apprit que Xi Xiao voyageait accompagné d'une femme noire, dont il se disait qu'elle était plus belle que le Congo et qu'elle vengeait les morts, et d'un homme très savant et très doux, dont le sourire seul avait redonné la vie à celles et ceux qui depuis longtemps avaient cessé de vivre.

Xi Xiao et ses disciples étaient venus en chaque village, en chacun ils avaient rassemblé le monde et en une langue merveilleuse avaient parlé de la renaissance de l'Afrique et de son éternité de vie. Ils avaient parlé des siècles à venir. Ils avaient parlé des jours. Et tout ce qui avait été dit s'était jusque-là produit, sans la moindre exception, sans échappatoire possible. Xi Xiao avait mentionné la venue du géomètre malade et de ses compagnons, il avait prédit leurs questions et annoncé leur mort prochaine. Aucun d'eux ne reviendrait vivant du bassin du Congo et le géomètre s'ouvrirait de lui-même comme s'ouvrirait une fleur d'amour et de sang. Chaque fois, la réponse des populations locales interrogées par Jolliot-Saint-Cœur se concluait sur les mêmes mots : *Poursuivez plus à l'est, poursuivez jusqu'aux chutes Stanley*.

Pierre Claes recevait les rapports de Jolliot-Saint-Cœur avec joie. Ceux-ci portaient avec eux l'assurance qu'il allait revoir Xi Xiao, qu'il pourrait s'anéantir avant la fin du monde qui s'annonçait, se faisant plus pressante à mesure qu'il remontait le fleuve, à mesure que les eaux saignaient, que les cris des singes s'éraillaient, que les chants des oiseaux se comblaient de boue, que la végétation s'amollissait et que les yeux des hommes fondaient en ce théâtre déliquescent, bien pire que la mort. L'attraction étrange et mystérieuse qu'exerçait sur Pierre Claes Xi Xiao, comme si un sort avait été jeté, comme s'il avait été le Diable, provoquait en lui de violentes obsessions, tantôt des délires de bonheur, comme ceux, solitaires et insensés, qu'un jeune garçon peut faire à l'occasion de son premier amour, tantôt des dialogues de haine, le confrontant à tous les hommes et toutes les femmes qui n'avaient pas voulu voir son immense douleur d'enfant, qui n'avaient pas entendu le monde s'effondrer et l'avaient constamment agressé de leur autorité excrémentielle, de leur réalité basse et grise, se rengorgeant devant leurs peurs qu'ils transformaient en satisfactions, en mensonges bourgeois, essuyant leur insensibilité pathétique avec les doigts de l'existence, dont résidait là, en ce geste criant, celui de la main de Dieu au cul de leur nullité, toute l'utilité - grande découverte ! - qu'ils lui avaient trouvé. Et Xi Xiao, au-delà de ce marasme, s'annonçait comme une promesse d'or, comme la première étoile de la nuit, perçant les frondaisons abritant un baiser de désir.

— Van des Borre, mon ami, dit un matin faiblement Pierre Claes à celui qui avait passé la nuit à le veiller, je pense que j'ai aimé mon père, comme aime un amoureux... Sa fuite a fait de ma vie une peine d'amour...

Vanderdorpe ne répondit rien, et apposa au front du malade un baiser.

•

Il existait un groupe étrange plus à l'est. À une centaine de kilomètres de là, le long de la rivière Lindi, qui se jetait dans le Congo non loin du poste des chutes Stanley, un révérend écossais et sa femme avaient établi une sorte de communauté utopique religieuse, fouriériste disaient certains, saint-simonienne disaient d'autres. On ne savait trop. La zone était encore largement sauvage et l'État n'y avait que très peu de ramifications, sinon aucune. On avait laissé cela exister tant il y avait d'autres choses plus urgentes à s'occuper. Le rendement du caoutchouc. Les révoltes indigènes. Or, précisément, depuis quelques semaines, l'est des chutes Stanley était devenu un foyer insurrectionnel, un lieu d'anarchie et de rencontres interethniques d'où partaient des idées de soulèvement et de résistance. L'État de Léopold II ne pouvait plus se permettre d'ignorer cette région du Congo. Telle fut, du moins, la façon dont Franck Kramer, le chef de poste des chutes Stanley, exposa la situation à Claes, Vanderdorpe et Jolliot-Saint-Cœur. À ses yeux, les douze soldats de l'expédition représentaient une chance inespérée, le moyen immédiat de former une colonne de répression alors qu'il aurait fallu plusieurs mois pour en faire venir une de Léopoldville, laissant la gangrène insoumise proliférer dans la jungle.

— Sans compter que je mettrais ma main au feu que vous y trouveriez votre Chinois... Certainement là à monter les nègres contre nous...

— Pas faux, dit Jolliot-Saint-Cœur. Qu'en pensez-vous, Claes ?

Pierre Claes n'avait aucune envie de perdre son temps à réprimer une quelconque rébellion. Accablé par la fièvre et le retour incessant de pensées folles et obsessives, il aurait au contraire, à cet instant, souhaité que toutes les forces anarchistes du monde nettoient la présence blanche - dont la sienne - du Congo. Toutefois, il avait la certitude, par une sorte de pressentiment étrange, que Xi Xiao se trouvait bel et bien à l'est. Non pas dans les zones rebelles, mais au sein de cette communauté socialo-mystique le long de la rivière Lindi dont Kramer avait parlé. Xi Xiao avait certes dû traverser les zones insoumises, y prêchant la révolte, mais il n'y était pas resté. Pierre Claes était certain que Xi Xiao cherchait à le revoir. Et cela était impossible en zone rebelle. Même avec douze soldats. Cela était bien trop dangereux. En revanche, une communauté utopique isolée et à l'abri de l'État était le lieu idéal pour se retrouver. Il était presque sûr que Xi Xiao s'y cachait. Il fallait trouver un moyen de faire faux bond à Jolliot-Saint-Cœur et ses soldats. Précisément en les envoyant mater les groupes insurgés et en prétextant - une fois sur place et une fois les soldats engagés dans l'action et le combat, persuadés de bientôt mettre la main sur Xi Xiao - la nécessité urgente, pour des raisons médicales, de rejoindre cette mystérieuse communauté. Il ne demanderait qu'un homme ou deux pour l'escorter, dont il serait aisé de se débarrasser par la suite. Sans compter, bien sûr, l'indispensable présence de Van des Borre.

— Cela ne fait pas l'ombre d'un doute, dit Pierre Claes en allumant une cigarette, Xi Xiao se terre parmi les rebelles... Et tous nos hommes ne seront pas de trop pour l'y retrouver...

— Très bien, conclut Jolliot-Saint-Cœur, reposons-nous ici une journée ou deux, puis nous nous engagerons dans la remontée de la Lindi...

— Formidable ! s'exclama bruyamment Kramer en se levant soudainement de sa chaise. Messieurs, vous êtes des braves, les héros modernes du progrès !

Il fit apporter une bouteille de whisky et trinqua à la santé du roi.

LA REMONTÉE DES CENT PREMIERS kilomètres de la rivière Lindi fut étonnamment paisible. Après les eaux vigoureuses du Congo, le *Ville de Bruxelles* paraissait progresser avec aisance à contre-courant de ce moindre débit. Les soldats semblaient avoir laissé plus à l'ouest leur ordurerie mentale et le fruste de leurs manières. Au lieu de ces bêtes racistes et apeurées que Pierre Claes avait vues embarquer sur le vapeur, se tenait sur le pont un groupe de jeunes hommes loin - certains pour la première fois - de leur pays. Beaucoup étaient d'origine paysanne et possédaient un sens aigu de la nature. Reposant à l'avant du vapeur, ils observaient en silence les berges de jungle qui les encadraient comme deux scènes immenses abritant un théâtre de mystère. Parfois, entre les arbres, on apercevait un singe qui s'avançait près de l'eau, curieux de voir cet étrange équipage traverser les eaux de son monde. La lumière était douce et bleue aux environs des rivages. L'air semblait y filtrer toutes sortes de cris et de chants, les épurant avant leur montée au ciel. S'apprêtant à tuer, les hommes de Jolliot-Saint-Cœur, éreintés et fiévreux, s'abreuvaient à cette vision de vie brute, impossible, hors d'atteinte, séparée d'eux par les larges flots de ce Styx cuivré.

Les porteurs indigènes demeuraient entre eux, conservant le secret de leurs histoires et de leurs désirs, secret qu'ils eussent bien voulu partager en d'autres temps, si cela avait été imaginable. Ils souffraient en silence au lieu de cela, pensant aux êtres aimés qu'ils espéraient revoir. Certains avaient vu la détresse dans les yeux de Claes, avaient senti qu'il eût voulu s'adresser à eux, tenter quelque chose, leur dire sa tristesse, leur demander la leur. Ils n'en tiraient aucune consolation. Ils savaient qu'aucun Blanc – bon ou mauvais – au Congo n'était à même de comprendre leur douleur. Chacun de ces hommes noirs portait en son cœur la révolte de son existence. Et cette révolte n'aurait pas, même en un siècle, su mourir. Elle s'accroîtrait, deviendrait garante de vie. Eux, pendant ce temps, mourraient de rage et de chagrin au midi de leur malheur.

•

Les plaies de Claes progressivement se rouvraient en dépit des bandes de gaze et des pommades médicinales. S'en épanchaient de discrets flux de sang, mêlés de pus et de lymphe. Pierre Claes demeurait allongé sur sa couchette, s'entretenant de longues heures avec Vanderdorpe et Jolliot-Saint-Cœur. Un jour, il leur fit part d'une de ses visions d'apocalypse. Il avait vu de maigres géants parcourir les campagnes dévastées et en flammes de la Belgique. Chacun des géants possédait une longue bouteille – comme un vase – emplie de sang, dont ils disaient qu'il s'agissait du sang menstruel d'Anne, la mère de Marie. Les géants étaient très lents, d'immenses feux s'élevaient dans le ciel et l'air devenait opaque et irrespirable.

— Pensez-vous que nous sommes ces géants ? demanda Pierre Claes à Jolliot-Saint-Cœur.

— Je le crains, répondit le militaire après un moment de silence... Comme je crains que Dieu nous haïsse désormais...

Jolliot-Saint-Cœur ne put réprimer un léger tic nerveux. Il se tourna vers la petite fenêtre de la cabine. Pierre Claes l'observa à l'abri de ses yeux mi-clos, découpant mentalement les traits nets et abrupts de ce jeune visage. Comme pour les garder à lui.

— Vous savez, Claes, avant toute chose maintenant, je veux rentrer chez moi... Juste rentrer chez moi...

Jolliot-Saint-Cœur s'était tourné pour dire cela. Pierre Claes remarqua alors qu'il avait les yeux bleus.

•

Au bout de trois jours de remontée de la rivière Lindi apparut à la tombée du jour un étrange petit homme sur le rivage. Petit et trapu, il était quasiment nu à l'exception d'un cache-sexe et d'une épaisse moustache. Il faisait de grands signes en direction du *Ville de Bruxelles*, criant diverses choses dans un français teinté d'un fort accent méridional. Sur les ordres de Jolliot-Saint-Cœur, le vapeur aborda une échancrure non loin d'où s'était tenu l'homme qui s'en venait en courant le long de la berge boisée. On le fit monter à bord. Il mit plusieurs minutes à reprendre son souffle qu'il ne parvint pas tout à fait à récupérer. Puis il s'adressa à Jolliot-Saint-Cœur.

— Mon nom est Petitguillaume... Ancien de la légion étrangère... Je viens de la part du révérend... Il veut que je vous emmène à lui... Mais avant tout... Il faut... Il vous faut reprendre des forces... J'ai préparé une bouillabaisse pour vous et vos hommes...

Jolliot-Saint-Cœur ne put s'empêcher de rire à cette proposition incongrue.

Une heure plus tard, l'ensemble de l'équipage se régalait d'une succulente bouillabaisse d'eau douce équatoriale. Petitguillaume expliqua à ses hôtes que les rivières du Congo, avec leurs grosses crevettes cossas et leurs nombreux poissons – une abondance, en particulier, de délicieux poissons-chats – fournissaient des produits d'une qualité très satisfaisante pour ce qui était de constituer des substituts de cuisine marseillaise, cuisine qui, au cœur du Congo, lui manquait presque aussi cruellement que sa vieille mère qui la cuisinait. Petitguillaume avait mis au point une rouille maison avec des ingrédients locaux dont il était particulièrement fier. Il cultivait ses pommes de terre lui-même également. Le révérend, disait-il, avait fait venir d'Europe des centaines de litres de vin blanc, du bandol, qu'il partageait généreusement avec toute la communauté. Des vignes avaient d'ailleurs été plantées, et le raisin de la toute première cuvée d'ailleurs très bientôt récolté. On prévoyait un vin qui développe des notes très minérales sur la fraîcheur avec une belle expression aromatique d'agrumes et de fleurs blanches. Tel allait être le *Côte-de-la-Lindi 1892*.

Puis tous, un par un, s'endormirent.

Pierre Claes avait été surpris par le plaisir de l'air frais qui coulait d'une petite fenêtre à sa gauche. Non pas de l'air froid, ce qui n'existait pas au Congo, mais frais, pur, lavé de toute souillure par les poumons des plantes et des bêtes, circulant parmi les êtres comme la saveur des choses. Pierre Claes s'était souvenu de certains matins de Bruges où, réveillé par cet air exact et frais, il avait souri à Vanderdorpe venu le saluer comme l'on salue un petit roi. Il s'était souvenu de sa mère. De sa jeunesse, qui s'était éteinte le temps qu'il devienne un homme, comme s'il lui avait fallu assassiner ce temps perdu pour accéder à l'existence, tuer ce qui toujours avait été, les corps sans enfance et sans devenir de ses parents, deux fantômes incroyables qui n'existaient que par lui qui n'existait que par eux. Dans le tourbillon fugitif de cette ronde émouvante et vraie, Pierre Claes avait ouvert les yeux et s'était réveillé dans la chambre claire d'une cabane aux murs de planches de bois brun. Sur l'un deux, il avait reconnu dans une ombre claire la forme de trois palmes se berçant au vent. Il s'était cru, l'espace d'un instant, revenu à l'hôpital européen du docteur Dryepondt, revenu à sa mutilation. Pierre Claes avait alors senti ses plaies se craqueler sous les bandes de gaze. Son corps avait été nettoyé et pansé. On avait pris soin de lui. Refusant les peines d'hier et de demain, il s'était fermé à tout étonnement et offert au présent de son sort, confiant de bientôt retrouver Xi Xiao.

Qui nous a lus jusqu'ici devinera que nous sommes à la veille du dénouement de cette histoire. En vérité, nous en sommes même à l'aube et, avant minuit, tout sera terminé. Que reste-t-il à dire ? Que Petitguillaume était un homme du révérend McAlpine, que celui-ci avait recueilli Xi Xiao, Silu et Mohammed Hadjeras dans sa communauté, qu'il avait voulu être initié à l'art terrible du *lingchi*, que la bouillabaisse avait été relevée de pavot somnifère, que la seconde expédition Claes avait été faite prisonnière à l'exception des porteurs qui avaient été relâchés, que le cœur du capitaine allemand qui avait repris plusieurs fois de la bouillabaisse toxique avait cessé de battre durant son sommeil, que Jolliot-Saint-Cœur et ses hommes allaient servir de cobayes vivants pour l'initiation de McAlpine à la découpe humaine, que celui-ci avait reconnu Vanderdorpe qu'il avait connu à Londres et l'avait épargné, comme il avait épargné Claes à la demande de Xi Xiao, et quelques autres faits qu'il nous reste à relater pour compléter le récit de tout ce qui se sait de la mutilation du géomètre missionné par le roi Léopold II pour trancher le Congo. Au dernier matin de sa vie, Pierre Claes se réveille dans la chambre claire d'une cabane aux murs de planches de bois brun, à des milliers de kilomètres de son enfance, reconnaissant dans une ombre la forme de trois palmes berçant paisiblement le monde.

HARMONIE

LE RÉVÉREND JOHN MCALPINE était né au début des années 1860 à Édimbourg, où il avait grandi dans une famille de la petite bourgeoisie écossaise. Un des premiers souvenirs qu'il conserva de cette ville à l'odeur si particulière et indescriptible - un mélange de quenelle de brochet ou de veau et de levure de bière - fut la vision du Scott Monument, pointe gothique d'outremonde élevée à la mémoire du romancier Walter Scott, pénétrant l'azur du ciel un matin de mars, projetant sur lui et sa mère une ombre de printemps dont il associa à jamais la fraîcheur à une certaine idée de l'amour et au retour de ces fleurs que l'on appelle *perce-neige*.

John McAlpine ne connut pas de drame de jeunesse. Il bénéficia au contraire de ce confort languissant et rêveur, tout de bibliothèques et de lumières tamisées - de vitraux domestiques - qui est, depuis l'essor médiéval des villes, l'apanage des bourgeois. En ces replis d'étoffes et de salons, les semences reproductives, tant mâles que femelles, se sont toujours écoulées en accord avec les lettres et les images des livres. Qui n'a pas grandi en ces milieux s'imaginera avec peine toute la force érotique qu'y recèle l'écrit.

Élève brillantissime, John McAlpine lut très tôt le latin et le grec, et développa dès l'âge de quatorze ans un goût prononcé pour la philologie classique. Il se passionna d'une de ces passions subites et inexpliquées de jeunesse pour l'étude de la *Vetus Latina*, ces anciennes versions latines des textes bibliques effectuées à partir des textes grecs, dont il fit le sujet d'une thèse de lettres classiques qui le conduisit deux années à Londres et qu'il soutint précocement - il avait alors dix-neuf ans - à l'Université d'Édimbourg. De la fréquentation assidue de ces traductions au littéralisme caractéristique effectuées sans contrôle de la hiérarchie ecclésiastique, il retint une vision particulièrement libre des textes sacrés, n'hésitant pas à humer à leur rencontre l'odeur vivante d'un soufre païen tout empli des corps en action, séculiers et charnels, qui les avaient inspirés, comme de ceux qui les avaient retranscrits. L'émotion profonde qu'il avait ressentie au contact de ces textes sacrés fit office de vocation, le dirigeant vers des études de théologie à l'issue desquelles il reçut l'ordination diaconale qui consacra définitivement son engagement comme prêtre dans l'Église anglicane.

John McAlpine tint à exercer son ministère à Édimbourg. On l'assigna au prêche auprès des populations ouvrières dont il découvrit l'indigence extrême et la détresse, lesquelles il n'avait jusqu'alors que très vaguement devinées et dont la connaissance lui venait principalement des livres. Lui qui retournait sur terre après des études célestes retrouva le monde avec choc. Des milliers d'êtres humains, en quelques décennies, avaient été, à Édimbourg, sa ville natale, objectifiés par une organisation du travail les réduisant à l'état de cette chose encore nouvelle alors, que l'on appelait *main-d'œuvre*, et dont le statut social équivalait dans les faits à celui du bétail, parquée dans la vermine et les excréments. Nombre de ces femmes et de ces hommes venaient de campagnes économiquement ravagées par la nouvelle industrie, d'autres, souvent les plus pauvres, avaient émigré d'Irlande. Leurs meilleures qualités humaines avaient été sacrifiées au profit de ce que l'on commençait à nommer le *capital* et cent forces, cent passions, cent désirs sommeillaient en ces personnes qui demeureraient à jamais étouffées, sinon mort-nées, baignant dans le sang anémié de leurs rêves.

Les efforts que John McAlpine mit à prodiguer tant bien que mal le réconfort qu'appelait son rôle auprès des populations populaires du vieil Édimbourg n'eurent à peu près aucun résultat. Aucune réponse des Textes qui l'avaient tant grandi et éclairé ne sut convenir à la désolation qui s'offrait à lui. Le privilège exquis de ces beautés et de ces sagesses avait tout simplement été confisqué au prolétariat. Ou plutôt, songea-t-il, ces beautés et sagesses, de tout temps, avaient été forgées par ceux qui, comme lui, philologue, possédaient les textes et les langues et cela en conséquence du fait même, en apparence idiot mais en réalité fondamental, qu'ils avaient disposé du luxe de les posséder. Et ce luxe n'était autre chose que le symptôme direct d'un pouvoir. Ce luxe avait été un luxe de pouvoir. La réalité des beautés de ses passions était ainsi le fruit d'un pouvoir. Comment ce pouvoir avait-il été acquis ? Par quelle histoire matérielle ? Cela le laissa songeur. Lui qui n'avait aimé Dieu qu'en ce qu'il venait des rêves et du ciel commença à s'en détourner. Il tomba amoureux d'une femme.

Le révérend John McAlpine, à l'âge de vingt-trois ans, vierge encore des choses de la chair et ayant rêvé mille fois de l'amour, développa une passion aussi soudaine que dévorante pour la plus jeune des filles d'un professeur ami de ses parents du nom de Rosemary Duncan. Émerveillé, cela lui prit plusieurs semaines avant de l'inviter à marcher avec lui. Elle était vive et passionnée comme il l'avait imaginée. Ils se promenèrent. Il lui parla des textes anciens. Elle lui conta de terribles histoires de marins qu'elle avait apprises de sa nourrice. Ils s'écoutèrent. Ils se plurent. Un nouveau printemps refleurit à l'ombre du Scott Monument. Et John McAlpine crut retrouver la beauté qu'il avait laissée au ciel au contact des lèvres de Rosemary Duncan.

Six mois s'écoulèrent. Les amoureux se fiancèrent. L'amour de John McAlpine avait nettement refroidi. Il ne se reconnaissait plus. Quel étrange ressort en lui s'était brisé ? L'idée même de mariage lui paraissait suspecte. Il désirait d'autres femmes et la divinité qu'il avait goûtée aux lèvres de Rosemary Duncan s'en évaporait un peu plus chaque jour, réapparaissant en d'autres, comme le pollen sans cesse émane de fleurs nouvelles. Il errait de longs moments dans les quartiers pauvres de la vieille ville, passant et repassant de nombreuses fois par les mêmes rues, remontant régulièrement Cowgate Street, où s'entassait, malade et rompue, l'immigration irlandaise, dont un enfant, parfois, immobile et muet, le regardait passer avec stupeur et admiration. Puis il retrouvait son foyer, en proie à une frustration étrange dont il peinait à identifier le véritable motif.

Il découvrit un jour, dans la pièce crasseuse et terne où s'entassaient les huit enfants d'un ouvrier de la North British Rubber Company et d'une blanchisseuse dont le plus jeune fils venait de mourir d'une pneumonie bactérienne foudroyante et auxquels il venait tenter d'apporter un semblant de réconfort, une petite peinture naïve représentant un couple s'embrassant au cœur d'une forêt automnale. La scène se déroulait à l'aube, et un ciel jaune pâle et gris de pluie passée, vrai mais sans éclat, portait l'évidence de sa beauté à travers l'entremêlement des branchages maladroits. Le tout était l'œuvre d'un adulte, mais semblait celle d'un enfant. L'homme, monté sur un cheval, portait un tricorne sur ce qui ressemblait à une perruque poudrée du siècle précédent, la femme semblait une femme de cour. Les deux êtres aux traits grossiers achevaient de s'embrasser ou allaient unir leurs lèvres, leurs visages espacés de presque rien. Leur émoi éclatait. À ce moment, ils étaient les uniques roi et reine, à l'abri de la forêt et de l'aube, leur désir tuant mille fois le monde et le ressuscitant. En cette heure matinale, ainsi éloigné, le couple tenait au secret, peut-être un adultère, peut-être une rivalité familiale; peut-être cela relevait-il tout simplement de la clandestinité de ce désir ardent que refusent les sociétés humaines qu'il attaque comme un suc acide, d'une inclination sauvage et éphémère qui ne se résorberait qu'en tristesse et sans gain. Ce secret s'évaporait en rayons invisibles, irradiant l'enveloppe des arbres complices et se mêlant au ciel, aux traits sincères, malhabiles de cette peinture qu'avait peinte une personne de peu d'éducation, comme hommage à sa courte vie, à sa chair tremblante, à ses rêves immenses et à son émotion. Cette beauté bouleversa John McAlpine. Une beauté qui n'émanait d'aucun pouvoir, d'aucune structure historique, mais qui tout simplement traversait le temps en mille avatars, naissant pour mourir comme naissent les bêtes, dans la paille d'une grange ou les vases d'un étang. Le désir et le ciel et cette peinture formaient à eux trois la figure de Dieu retrouvé. John McAlpine sortit alors de sa rêverie. Devant lui se tenaient deux parents qui venaient de perdre un enfant.

John McAlpine rompit ses fiançailles et son esprit devint autre. Agité, nerveux, différent, il se mit à professer que le désir ne venait pas du monde mais le monde du désir. Si la société rejette ce désir, c'est qu'il dévoile ses mensonges, ceux-là mêmes qui avaient maintenu et maintenaient encore les plus humbles, ceux que l'on avait spoliés de leurs rêves et de leur corps, dans la fange de leur misère. Le petit tableau lui avait révélé cette vérité profonde. Il ne provenait pas de cette somme civilisationnelle et fausse que l'on appelait les *Beaux-Arts* et que l'on étouffait désormais dans des musées, mais de l'inclination simple et naïve d'un être sincère et anonyme. L'amour du baiser n'avait pas émané du couple, mais au contraire l'avait informé comme il avait informé le monde, comme à un niveau supérieur il avait animé le pinceau du peintre, et l'éclat du ciel au travers des branchages d'automne reflétait l'élan du désir qui était le seul tremplin solide pour accéder à l'être et à la liberté. L'être était désir et ne devait y résister. « Si nous suivons jusqu'au bout nos intentions, prêcha-t-il devant ses ouailles la semaine suivante, nous découvrirons autant d'imprévu dans la nature qu'en nous-mêmes, nous libérerons les forces profuses que le monde inhumain, édifié au cours de l'histoire, a retenu captives et qui, lorsqu'elles paraissent, jettent dans l'effroi : longtemps comprimées, elles explosent pour le mal et, seuls, les plus hardis ont aperçu leur puissance irréfrénable. » Et il citait alors Calliclès s'opposant à Socrate, disant que « pour bien vivre, il faut entretenir en soi-même les plus fortes passions au lieu de les réprimer et à ces passions, si fortes soient-elles, il faut se mettre en état de donner satisfaction ». Or, Calliclès avait tort, disait-il, lorsqu'il distinguait une morale de maître et une d'esclave. La libération de tous les désirs devait concorder, aboutir en une nouvelle harmonie, et la liberté serait pour toutes et tous ou ne serait pas !

John McAlpine appela un dimanche à la révolte, la révolte du désir et de la vie, dit-il, invitant chacune et chacun à la grève générale dès le lundi jusqu'à obtention, dans un premier temps, de salaires décents et d'une journée supplémentaire de congé. Si, pour la première fois depuis son ordination, John McAlpine avait réussi, ce jour-là, à instiller une lueur d'espoir dans le cœur de son public, il ne parvint pas, dans cette sorte de précipitation fanatique peu stratégique, à le mobiliser. La grève générale n'eut pas lieu et John McAlpine fut interpellé à l'aube à son domicile puis jugé pour agitation publique. La peine fut clémente, l'écart fut mis sur le compte d'une fragilité d'ordre splénétique courante chez les jeunes gens de sa profession, et le pasteur fut envoyé dans une maison de repos non loin de la petite ville de Saint Andrews, au nord d'Édimbourg.

•

À Saint Andrews, John McAlpine fut saisi d'une fureur d'écriture sans précédent. Le jour, il arpentait les plages tantôt sableuses, tantôt rocailleuses qui mordaient le gazon écossais pour l'engloutir dans le ventre sombre et froid de la mer du Nord. La nuit, il rédigeait sans relâche, d'une écriture sèche et compacte, des dizaines de pages concernant l'ordre du monde, tant économique que sexuel, et l'avènement d'une cosmogonie nouvelle par la réalisation même des voies du désir. Les médecins qui le suivaient et qui avaient tout d'abord diagnostiqué chez lui le contrecoup d'un épuisement – cela se voyait souvent chez les jeunes pasteurs – commencèrent à s'inquiéter pour l'équilibre de sa raison. Les feuillets qu'il leur faisait lire au matin recelaient par dizaines des images folles et baroques reliant en une jungle fourmillante de symboles les êtres à l'absolu d'un Dieu jouisseur et réjouisseur, régisseur d'orgies immenses – et possiblement interplanétaires – auxquelles les espèces animales qui avaient su s'affranchir des pièges mesquins de leurs civilisations étaient conviées. Les sociétés humaines étaient abordées au même titre que les sociétés animales, de longs passages traitant de la parentalité des mulots ou de l'organisation du travail des termites. L'ensemble des espèces, était-il dit, ne formait qu'une seule et même masse de vie, une seule et même intelligence devant s'élever vers la liberté et le plaisir, évoluant à mesure qu'elle gagnait en jouissance. L'homme, ainsi, était un singe évolué qui avait parfait son plaisir au moyen de l'amélioration de son cerveau entraînant chez lui l'acquisition du langage; les mammifères marins, de même, étaient des mammifères terrestres qui avaient accru leur volupté en s'offrant à l'immensité de l'océan. Certaines des pages manuscrites de la veille étaient imprégnées de sperme frais, témoignant d'une intense activité onaniste. Mais ce qui choqua suprêmement fut peut-être l'invincible, naïve et irraisonnée croyance en une forme possible de bonheur terrestre qui jaillissait de ces pages. John McAlpine, au cours de ses nuits hallucinées, avait absous le monde du péché originel.

John McAlpine devint rapidement un phénomène mondain dans la petite société de Saint Andrews. On se plaisait à l'inviter à prendre le thé, à l'écouter sur les possibles sexuels de la couleuvre ou le bienfait social des parties à quatre dans les sociétés paysannes du nord du Suffolk et de l'Essex. Le plus étonnant était que le jeune pasteur ne semblait en aucun cas réaliser que l'on se moquait de lui, et cette naïveté accroissait l'excitation des jeunes gens qui se frottaient discrètement contre leurs sièges. Une jeune femme d'une quinzaine d'années parvint ainsi à jouir en secret au cours de l'un de ces après-midis. Elle s'appelait Louise Sweeney. D'apparence très prude, elle retenait toutefois en elle un désir immense qui, depuis plusieurs années déjà, consumait son existence. Le plaisir qu'elle venait d'éprouver à l'écoute du jeune pasteur l'avait troublée de par son ardeur et le danger qu'il semblait receler. Le soir même, elle réussit à tromper la vigilance de ses parents et à rejoindre, dans le silence des vagues et de la nuit, la petite chambre de John McAlpine où, à la lueur vacillante d'une unique chandelle, il était possible de lire les prémices exaltées d'un chapitre consacré à *L'Amour véritable en cette planète seule et abandonnée que l'on appelle la Terre*.

Louise Sweeney s'embrasa au contact des écrits de John McAlpine. Chaque nuit, elle le rejoignait. Ils s'unissaient puis il lui lisait de longs développements sur l'avènement du désir et les réformes futures de toutes les sociétés. Mille idées surgissaient alors en l'esprit de la jeune femme, mille perspectives nouvelles qu'elle n'avait pas même pressenties auparavant, comme si le vernis brun et fade de la vie s'écaillait et tombait enfin, révélant les couleurs qu'il avait toujours cachées. Louise Sweeney, à son tour, fut prise d'une urgence d'écriture. Elle consacra, de façon quasi spontanée, en six mois à peine, plusieurs centaines de pages à un *Traité d'organisation sociale en Harmonie sexuelle*. Une fièvre secrète de révolte courait en son sang et elle n'en laissait pourtant rien paraître. Elle demeurait, à tous autres yeux que ceux de John McAlpine, la vierge et prude miss Sweeney devant laquelle on ne parlait pas même de l'accouplement des chiens ou des chevaux.

Une nuit, Louise Sweeney se fit prendre en s'en allant rejoindre son amant. Tout fut découvert. Qu'elle se donnât comme cela, à un fou, ne pouvait tout simplement pas être toléré. Tout le tort fut attribué à John McAlpine, que l'on ne vit plus comme un doux et splénétique rêveur, mais comme un être double et dangereux, abritant sous d'habiles paroles les poisons subtils du vice et de la perversion, profitant de l'attention des plus jeunes pour instiller le mal en chacun de leurs cœurs et soumettre les plus faibles à sa lubricité maline. Ses textes furent confisqués et lus avec horreur par la bourgeoisie locale. On s'empressa de les détruire. Le *Traité d'organisation sociale en Harmonie sexuelle* fut attribué à John McAlpine en dépit des protestations de Louise Sweeney qui revendiquait avec calme à qui l'interrogeait à ce propos la maternité de la rédaction de ce que l'on qualifiait *d'immondices socialistes.*

•

John McAlpine fut conduit à Édimbourg pour y être incarcéré et jugé pour détournement de mineur. Par respect pour son statut de prêtre on ne lui passa ni chaînes ni menottes sur le chemin de la prison. Arrivé à Édimbourg, il profita d'un moment d'inattention de la part de ses gardiens pour sauter du convoi qui le transportait et disparaître dans les quartiers de la vieille ville qu'il connaissait bien. On ne l'y avait pas oublié. On se souvenait encore dans le quartier irlandais de ce prêtre qui avait appelé à la révolte ; celle-ci n'avait finalement pas eu lieu, mais les paroles d'espoir et de dignité qui l'avaient portée étaient demeurées dans les esprits. John McAlpine fut caché, nourri, maintenu loin de la police. Il parvint, à l'aide de réseaux de travailleurs, à quitter l'Écosse et à rejoindre Londres.

Ce que John McAlpine fit à Londres reste obscur. Plusieurs de celles et ceux qui l'y ont rencontré parlent d'un homme perdu et exalté. Crime organisé, loges maçonniques, réseaux anarchistes, les témoignages diffèrent quant aux activités londoniennes de John McAlpine, mais tous concordent sur un seul point : sa volonté inébranlable de fonder une société harmonieuse loin de l'Europe. Un fait demeure certain : John McAlpine amassa à Londres une importante somme d'argent en l'espace d'une année.

•

La demeure familiale des Sweeney donnait sur la mer. Relativement discrète, comme obéissante à cette forme de modestie inquiète qui caractérisait ses propriétaires, elle abritait de la vue de toutes et tous une merveille de jardin suspendu directement aménagé dans quelques vieilles pierres d'une ancienne digue de Saint Andrews. Louise Sweeney, strictement assignée à résidence depuis la découverte de sa liaison, n'ayant de droit de sortie que celui d'assister aux offices dominicaux, ne trouvait de liberté qu'en ce lieu élevé d'où elle pouvait projeter de ses yeux sombres et profonds toute sa fureur vers la mer ténébreuse. Elle y pleurait de tristesse et de rage. C'était l'été et d'immenses roses trémières s'élançaient au ciel, prenant appui sur la petite maison. La nuit était tombée. Le vent d'iode portait la jeune fille presque au-dessus des eaux. Elle entendit son nom : « Louise, mon amour. » Son cœur se serra. C'était la voix de John McAlpine. Se rapprochant de la rambarde du jardin, elle vit apparaître derrière celle-ci le visage de celui qu'elle aimait. Elle n'eut que le temps de lui prendre les mains, son regard dans le sien.

— Louise, mon amour, nous n'avons que peu de temps et j'irai droit au but... Je suis recherché par la police... J'ai été à Londres... J'y suis devenu riche... Je veux fonder une société libre très loin d'ici... Un médecin belge dont j'ai fait la connaissance m'a parlé du Congo... Je vais m'y installer... J'y ai acheté une terre... Je partirai de Southampton... Une barque est arrimée au pied de ce mur... Des hommes de confiance attendent plus loin sur une plage... Ils nous feront quitter l'Écosse sans encombre... Venez-vous avec moi ?

— Bien sûr, John...

— Accrochez-vous à mon dos...

John McAlpine posa fermement ses mains sur la rambarde de pierre, de façon à ce que Louise Sweeney pût l'enlacer par-derrière comme elle se serait agrippée à un tronc solide ou au cou d'un cheval. Portant ainsi son amante sur son dos, le jeune prêtre descendit prudemment l'escarpement abrupt de l'ancienne digue. Arrivés en bas, ils rejoignirent la barque. La marée était haute. La mer était calme. Ils disparurent dans la nuit.

À Southampton, ils se logèrent sous un faux nom dans un hôtel établi sur le port et y attendirent le prochain bateau pour le Congo. Le *Victoria*, parti d'Anvers et à destination de Matadi, les embarqua un mois plus tard. Tout le long du voyage, ils se firent passer pour un jeune couple tout juste fiancé, sage, pieux et discret. À leur arrivée à Matadi, John McAlpine demeura sur le port pour s'assurer que leurs bagages étaient bien débarqués. Louise Sweeney prit l'un des petits coches tirés par des bœufs qui attendaient les passagers non loin des quais pour les conduire en ville. Un jeune homme, tout juste descendu du *Victoria* lui aussi, prit place à côté d'elle. Il s'appelait Pierre Claes, il était géomètre et avait été missionné par le roi Léopold II pour découper le Congo.

ON FRAPPA À LA PORTE.

— Oui ! dit Pierre Claes.

Un homme et une femme entrèrent, souriants, précautionneux. Pierre Claes reconnut immédiatement la jeune femme dont il avait fait brièvement la rencontre à son arrivée à Matadi. Elle n'avait pas changé, si ce n'est les habits d'homme qu'elle portait. Et peut-être une dureté légère dans le regard. Une fatigue. L'homme, maigrissime, portait une barbe épaisse sous laquelle on devinait des lèvres fines et fragiles. Un tic nerveux agitait légèrement sa tête de droite à gauche, qu'il maintenait penchée, comme acquiesçant d'avance à toutes les choses qui allaient se dire. On le savait malade au premier coup d'œil. Seul son regard vivait encore pleinement, luisant de fièvre et d'intelligence.

— Bonjour, monsieur Claes… Je suis le père John McAlpine, et voici ma femme, Louise… Bienvenue en Harmonie…

— Bonjour, monsieur Claes, dit Louise Sweeney devenue Louise McAlpine.

— Où suis-je ?… Qui êtes-vous ?… Où sont mes hommes ?…

— Restez couché, monsieur Claes. Sachez déjà que monsieur Xi Xiao a très hâte de vous revoir…

John et Louise McAlpine approchèrent chacun une chaise près du lit de Pierre Claes. Louise prit la parole. Elle parla près d'une heure. D'une voix douce et duveteuse que les injures du climat équatorial ne semblaient pas avoir affectée. Elle fit le récit détaillé de leur amour, de leurs visions, de leur fuite d'Écosse et d'Angleterre, de leur volonté de fonder une communauté du nom d'Harmonie, de leur volonté d'y unir Noirs et Blancs, dans une société horizontale et sexuellement libre, de leur rencontre avec Xi Xiao, Silu et Mohammed Hadjeras, de leur intérêt pour la découpe humaine divinatoire. Tout en parlant, elle fixait Pierre Claes d'un regard canin de porcelaine pure, dans la parfaite coïncidence du monde. Elle lui offrit d'avoir des rapports sexuels avec elle, plus tard, « quand vos plaies seront cicatrisées ». À ses côtés, John McAlpine souriait en agitant la tête.

— Comprenez-vous, monsieur Claes, continua Louise McAlpine, le désir ne naît pas des choses, mais les choses du désir... Lorsqu'il découpe un homme, monsieur Xi Xiao suit les lignes secrètes de désirs qui parcourent toute réalité, tissant à l'infini passé et avenir... Nous avons vu l'horreur prolétaire en Europe, l'horreur coloniale ici en Afrique... Notre civilisation ne va nulle part... Elle court à son suicide, entraînant avec elle toutes les autres... Il n'existe qu'une alternative à la mort générale, c'est l'orgasme social et universel... L'orgasme est la manifestation du sixième sens des êtres : l'activité électromagnétique, l'énergie pure, celle-là même qui tient le monde, que messieurs Maxwell et Lorentz ont mis en équation... Le monde est mathématique, monsieur Claes, vous le savez vous-même, vous qui êtes géomètre... Il n'y a que des rapports géométriques... C'est pourquoi la musique nous touche et pourquoi les étoiles chantent... La seule raison est celle du ratio... La géométrie parfaite d'une société assure les rapports nécessaires à la libération de l'activité électromagnétique des êtres... Et la libre circulation de l'énergie orgasmique refaçonne et réinvente à mesure une réalité nouvelle... Et nous pourrons imaginer de nouveaux corps, de nouvelles espèces, de nouveaux langages portant des idées encore impensées... Tout et chacun agissant en une synergie exponentielle vers les principes du bonheur... Les principes d'Harmonie... Si nous réussissons ici, nous amorcerons le mouvement général... C'est inévitable, monsieur Claes... Inévitable...

Elle s'arrêta net. Comme prise de stupeur. John McAlpine continuait de sourire et d'agiter la tête.

— Mais vous devez être fatigué, reprit-elle. Je vous importune... Veuillez m'excusez... Tenez, buvez un peu d'eau, il fait chaud...

Elle lui tendit une gourde qu'elle portait en bandoulière.

— Gardez-la près de vous... Hydratez-vous... Dormez... Nous reviendrons vous voir...

Se levant de leur chaise, Louise et John McAlpine repartirent tous deux, prenant soin de fermer très délicatement la porte derrière eux.

Pierre Claes but tout le contenu de la gourde puis s'endormit lourdement. En rêve, il entendit une flûte de bois. Elle recouvrait le clapotement d'une rivière. Tout, autour, était de jungle. Et de grands fauves progressaient de bosquets en fouillis de lianes et de palmes. Ils tournaient, comme les poissons d'un banc immense, fluides et ondulants, leurs yeux ouverts sur le mystère. Le son de la flûte les calmait, assurément. Xi Xiao était là. Il était nu, il tenait un scalpel en sa main gauche et de grands serpents constricteurs s'enroulaient autour de lui, leur tête dans les airs, dansant au rythme de la musique, comme les multiples bras d'une divinité d'Orient. Xi Xiao incisa la peau du singe Léopold. Et celui-ci demeurait allongé, les yeux clos de plaisir, et le sang perlait à peine de ses plaies, rose et parfait, et Léopold dit en flamand :

Je snijdt me en ik heb altijd van je gehouden.

« Tu me découpes et je t'ai toujours aimé. » Et Xi Xiao retira toute la peau de Léopold et Léopold écarta ses côtes de ses mains, pour dégager son cœur qui s'éleva de quelques centimètres dans les airs, luminescent et humide, gris rose comme le Christ, palpitant comme la vie, et les serpents et les fauves ouvraient leurs yeux plus grand que jamais, témoins de la magie et de la merveille. Xi Xiao pleurait et indiquait le ciel et ses serpents se dressèrent dans la direction de son doigt et dans le ciel jaune l'Europe tout entière s'abattait sur les jungles, comme une planète folle, et l'on distingua, dans la seconde qui précéda l'anéantissement de tout, la Belgique, et Bruges et ses canaux, et son ciel de lumière, et ses maisons médiévales et bourgeoises, ses façades gothiques, ses appartements d'étoffes, de livres et de soupirs, et par la fenêtre de l'un d'eux, on put voir le jeune Philéas Vanderdorpe embrassant sur la tempe son fils endormi, les yeux clos dans l'odeur des boucles blondes, et tout disparut dans la ténèbre.

Pierre Claes se dressa en sueur dans son lit et vomit abondamment. Le soir était tombé et sa chambre, plongée dans l'obscurité grise d'une nuit étoilée. Devant lui l'air se tordait et l'espace ondulait. Pierre Claes essaya de poser ses pieds au sol. Il s'effondra violemment, ses plaies craquèrent. Il ne sentit pas la douleur, pas plus qu'il ne vit le sang sourdre des bandages. Il parvint à se lever en s'appuyant contre un mur, et tituba jusqu'au pantalon plié sur le petit meuble près de son lit. Il dut s'asseoir au sol pour parvenir à le mettre. Il passa une chemise et vomit à nouveau. Les yeux fermés, l'esprit trouble, il chancelait au rythme de sa nausée. Plusieurs minutes passèrent. Il se leva enfin, et sortit de la chambre.

•

Louise McAlpine avait menti par omission, cachant à Pierre Claes certaines choses des plus importantes. Elle ne lui avait ainsi pas dit que l'eau de la gourde avait été mélangée à une poudre de liane très toxique et puissante dont elle avait acheté le secret à des populations locales, une poudre qui pouvait, même à petite dose, plonger un homme dans un profond et halluciné délire plus de vingt heures durant. Elle ne lui avait également pas dit que depuis leur arrivée au Congo, elle et John McAlpine n'avaient connu quasiment que des revers, qu'horrifiés par la violence coloniale ils avaient petit à petit perdu foi en l'Harmonie, qu'ils avaient peiné à bâtir les quelques infrastructures de leur communauté, harcelés par les pluies, la chaleur et les insectes, que peu d'indigènes leur avaient accordé leur confiance, ne voyant en leur aventure qu'une folie blanche de plus, que les seules personnes, pour ne pas dire *personnages*, qui les avaient suivis étaient des faibles et des fous, que John McAlpine, accablé par les fièvres, galeux et épileptique, avait lui aussi peu à peu perdu l'esprit, se réfugiant dans la *Vetus Latina* dont il avait emporté des copies, et qu'elle-même aurait depuis longtemps cédé si elle n'avait pas vite compris que toute l'entreprise reposait désormais sur ses épaules, que si elle n'y croyait plus qu'à peine, elle ne pouvait pourtant se résoudre à abandonner l'idée d'Harmonie, comme si, parvenue si loin en Enfer, il ne lui restait comme espoir que le Paradis. Elle ne lui avait pas non plus dit que Xi Xiao, Silu et Mohammed Hadjeras étaient arrivés épuisés et malades à la communauté, écœurés et soûls de violence, anéantis, que Silu se noyait dans sa rage, se voyait se noyer et ne pouvait plus que pleurer, que l'âme si belle de Mohammed Hadjeras avait fini par s'éteindre, que Xi Xiao n'attendait plus que de mourir auprès de Pierre Claes. Elle ne lui avait pas dit, enfin, à quel point elle et John McAlpine avaient été fascinés par les aventures de leurs trois hôtes, qu'ils avaient vu en la découpe humaine et ses possibilités divinatoires le seul salut pour l'Harmonie, le seul moyen de libérer le potentiel électro-orgasmique nécessaire à purifier l'horreur, qu'une dernière lueur avait éclairé leur rêve, leur rappelant les nuits d'amour de Saint Andrews, qu'ils n'avaient alors eu de cesse d'effectuer sur Silu et ses compagnons une forme insidieuse et perverse de pression afin qu'ils acceptent de les initier à cet art millénaire et secret et qu'au moment même où elle omettait de dire toutes ces choses à Pierre Claes, Frédéric Jolliot-Saint-Cœur et ses douze hommes étaient drogués et ligotés pour être découpés le soir même, aux fins de cette initiation.

•

Pierre Claes sortit dans la nuit. Devant ses yeux, rémanence immense, le visage jeune de Vanderdorpe son père précédait toute chose, embrassant l'enfant blond avant que le monde ne meure. Et le visage blanc dans les boucles blondes demeurait familier, comme si on eût pu sentir encore son odeur d'homme et le cercle de son amour. Et le jeune père et les boucles blondes persistaient encore et traversaient le voile du regard, traversaient le grand feu qui flambait au loin, éclairant les quelques bâtiments de l'Harmonie avortée, et s'établissaient, ou plutôt disaient-ils tels des fantômes avoir toujours été là, ou plutôt avoir pénétré l'Afrique, septicémiques, par le fleuve et les rivières eux aussi, pour se rejoindre. Et le visage jeune de Vanderdorpe son père fendait le cœur et jamais ne voulait partir, brisant la vie tout le temps toujours, gâchant la pâte, la mouture, tuant l'enfant qui grandirait et revenait devant les yeux, devançant toute vision, déformant le monde de silhouettes qui remuaient près du grand feu.

Pierre Claes aperçut Xi Xiao.

Xi Xiao, immense lui aussi, comme un dieu, presque nu, et son visage tendre éclipsa tous les autres. Et Pierre Claes ne put parler et ouvrit la bouche comme on s'étouffe quand on meurt avec seulement peu de temps dans les yeux, comme un enfant s'apprête à pleurer et demande l'adulte en un silence suspendu que Xi Xiao rattrapa au-dessus du vide pour le prendre dans ses bras et déposer dans les cheveux sales et salés de sueur d'un géomètre belge perdu le seul baiser qui put le calmer.

Xi Xiao chuchota.

Tout est bientôt terminé.

VANDERDORPE AVAIT LUI AUSSI ÉTÉ DROGUÉ.

Il s'était réveillé, comme Pierre Claes, dans la chambre d'un petit baraquement de fortune. Il avait eu le sentiment d'un danger. Il s'était inquiété pour son fils. Il était sorti. Il faisait nuit. Il devina d'autres bâtiments. Il pensait se trouver dans un poste de traite belge. Il erra comme dans un songe. Ouvrit une porte. Vit Pierre Claes endormi. S'approcha doucement, et lui embrassa le front.

À voix basse, il parla.

— Pardonne-moi, mon fils... Pardonne-moi...

Pierre Claes ouvrit les yeux. Puis les referma. Vanderdorpe ressortit dans la nuit.

John et Louise McAlpine trouvèrent Vanderdorpe au petit matin, assis à fumer devant la porte de sa chambre. C'était l'aube du dernier jour. Ils l'invitèrent à manger des fruits avec eux et à boire du café. Vanderdorpe reconnut John McAlpine. John McAlpine se contenta de sourire en remuant la tête. Louise Sweeney fit le récit de leurs aventures, le même qu'elle donnerait quelques heures plus tard à Pierre Claes. Elle invita Vanderdorpe à se reposer. Elle lui offrit une gourde pleine.

Vanderdorpe se réveilla dans un monde de rêves. Au loin, il vit flamber un grand feu. Le Christ, treize fois y était crucifié. Il avait l'apparence de douze soldats du roi Léopold II et de leur capitaine. Le Chinois était là. Il demanda à Vanderdorpe de s'asseoir et de regarder.

•

Les douze soldats et Jolliot-Saint-Cœur avaient été attachés nus, les bras en croix, à de longues branches. Leurs nuques avaient été brisées de façon à ce qu'ils ne puissent plus bouger que le visage. Ils ouvraient la bouche et les yeux en silence, comme des poissons suffoquant dans leurs larmes. Un feu de bois et de lianes les éclairait d'une lumière vive et dansante, les détachant de l'ombre à laquelle ils semblaient appartenir, de la nuit qui produisait leurs corps jaune pâle et à laquelle ils allaient retourner.

Autour étaient réunis les habitants d'Harmonie. Louise et John McAlpine, comme un couple d'un autre monde, sélénite peut-être, se donnaient la main. À leurs côtés, Petitguillaume, gueux de la jungle. À la ronde, dans la nuit, quelques folles et quelques fous, indigènes que la douleur avait rompus. Complétant cette assemblée de fantômes, Mohammed Hadjeras, Silu et Xi Xiao, dévêtus, préparaient leurs lames.

Pierre Claes surgit de l'ombre. Xi Xiao l'accueillit.

Tout est bientôt terminé.

Xi Xiao passa doucement sa main dans les cheveux de Pierre Claes. Un frémissement éternel. La dernière caresse. Le bord de la mort.

Xi Xiao se saisit de sa lame et s'approcha d'un des soldats attachés. Un sifflement de panique fusa de la gorge du garçon. D'un geste vif, Xi Xiao incisa la peau qui recouvrait les clavicules. Le soldat bavait de peur. Xi Xiao poursuivit sa découpe le long des côtes, puis ouvrit le sternum. Le soldat hoquetait, se mouvait comme un serpent immobile, d'une reptation nulle, ondulant de mort comme les hanches parfois ondulent de plaisir. Xi Xiao lui ouvrit le ventre.

Pierre Claes, géomètre du roi Léopold II, incisait l'homme du regard suivant la lame qui fendait la peau, la graisse et les muscles. Toute douleur, de lui, avait disparu. Il sentait seulement que la lame, découpant le soldat, le découpait aussi, et il pouvait sentir ses anciennes plaies se rouvrir sous leurs bandages au gré des gestes précis de Xi Xiao. Bientôt, il fut à nouveau morcelé. Ses chairs se démantelaient avec douceur sans qu'aucune lame ne les touche. Comme une rose non éclose, il demeurait toutefois entier sous les tissus qui l'enserraient. Xi Xiao accélérait ses gestes, tournait autour du corps qu'il sculptait en statue de sang. Pierre Claes s'ouvrait en secret. Ses vêtements se coloraient de rouge.

Le premier soldat était intégralement dépecé et éviscéré. Il vivait encore. Xi Xiao recula de quelques pas pour admirer son œuvre.

— Merveilleux ! Merveilleux, vraiment ! dit John McAlpine. Vanderdorpe, mon ami, ne trouvez-vous pas cela admirable ? renchérit-il en se tournant vers Vanderdorpe.

Pierre Claes comprit.

Au nom de « Vanderdorpe », Pierre Claes ferma les yeux et comprit. Il comprit le visage qui hantait son esprit et qui en rêve l'avait embrassé. Il comprit qui était véritablement son ami Van des Borre. Il comprit qu'il avait voyagé jusqu'au cœur de l'Enfer avec son père et qu'il était désormais trop tard.

Pierre Claes se leva péniblement et chancela jusqu'à John McAlpine qui, immobile, le regardait en souriant, grimaçant et hochant de la tête. Pierre Claes s'empara du pistolet qui pendait à la ceinture du prêtre d'Harmonie. Il l'arma, se retourna et visa la tête de Vanderdorpe.

Les deux hommes se regardèrent. Leurs yeux se parlèrent en pleurant.

Pourquoi m'as-tu abandonné ?

Pardonne-moi.

Un instant de silence. Puis Pierre Claes tira. Il avait au dernier moment dévié la trajectoire du canon. La balle passa au-dessus de Vanderdorpe et pénétra le mur de planches d'une petite remise qui se trouvait derrière lui. La remise contenait plusieurs caisses de bâtons de dynamite dérobés à la Compagnie du chemin de fer du Congo et que les McAlpine avaient achetés à des revendeurs clandestins dans le but d'excaver les fondations d'Harmonie. Les travaux n'avaient jamais été commencés et la dynamite sommeillait là depuis plusieurs mois, les McAlpine ignorant qu'avec le temps et la chaleur les bâtons de dynamite suintent de la nitroglycérine liquide, particulièrement instable et dangereuse. Le choc de la balle sur l'un des bâtons suffit amplement à initier une réaction en chaîne et toutes et tous disparurent dans le souffle d'une explosion formidable.

TOUTES ET TOUS FURENT PULVÉRISÉS. Pour la plupart tués sur le coup. Pierre Claes ouvrit les yeux. L'explosion avait soufflé ses bandages et ses plaies ouvertes avaient éclos en pétales de chair. Il ne réalisa pas immédiatement qu'il lui manquait un bras, ni qu'une partie de son torse avait été arrachée. Ses côtes, du côté gauche, s'étaient littéralement envolées. Il vit son cœur à découvert battre dans la nuit, percé par les étoiles. D'immenses insectes aux ailes géantes volaient autour de lui, tournant lentement à hauteur du cœur meurtri qui pulsait en silence. Plusieurs animaux, fauves, singes, serpents, oiseaux élancés tournaient au loin, formant une ronde d'ombres furtives et d'yeux agrandis. Un souffle se fit entendre. Pierre Claes leva les yeux. Au ciel, l'Europe à l'envers s'abattait sur la Terre, si proche que l'on en distinguait chaque corps, chaque bâtisse, chaque champ. L'Europe chutait comme un théâtre mort. Pierre Claes vit Bruges et Bruxelles descendre en flammes et l'on pouvait entendre les cris de centaines de milliers d'hommes et de femmes qui, les bras en croix, avaient été découpés vivants selon la subtile méthode du *lingchi*. Chacune et chacun n'était plus qu'un monceau fumant d'organes et de fluides dans lequel vivait encore un œil ouvert sur l'horreur, l'horreur et la peur du réel et du vrai, qui coulent dans les veines et pleurent des larmes d'urine et de sang, un œil photosensible, sans plus de membres, incrusté dans le tas impossible de la vie, comme un joyau fixé dans la peau, comme parasitent et creusent certains coquillages la peau des mammifères marins, y logeant des milliers de trous obscènes, comme des larves dans la chair, ouvertes sur l'éternel, la solitude et le silence, quand toutes les mères sont mortes et les pères, pire encore, rongés dans la vie, rejaillissant en cancer et tristesse, serrent les fils et les filles à la gorge avant de les dévorer de leurs dents jaunes et les priver de leur vie et les tuer à chaque instant de mille coups de chagrin et Pierre Claes vit la grande faute de l'Europe, la très grande faute de l'Europe qui n'a vite plus cru qu'à la mort et ouvrait désormais un œil large sur l'horreur et sur la fin, l'éclair de la fin, avant que tout ne meure.

Les animaux se rapprochèrent de Pierre Claes, certains portaient des masques, d'autres des parures d'or, d'autres encore le regardaient comme l'on regarde d'un autre monde, de l'autre versant de la conscience, comme regardent les esprits et les dieux, et tous s'approchèrent encore, resserrant leur cercle de silence et de fin, acculant le cœur nu au centre de leur ronde, y enfermant ses derniers battements sous l'Europe suspendue.

Au pied de Pierre Claes, la tête de Xi Xiao, arrachée par l'explosion, amoureuse et vivante, les yeux dans la nuit, articulait sans relâche, du bout des lèvres et en silence, ce mot mystérieux, *ténèbre*.

暗黑

REMERCIEMENTS

Je remercie mes con(go)sultants Blaise Ndala et Dulia Lengema. Toute ma gratitude à Ruoyi Jin et Andrew Ng pour les fameux idéogrammes sur la cassette de Xi Xiao et à Evelyn Beliën pour les paroles flamandes de Léopold le singe. Merci à Julien Delorme qui m'a généreusement donné un très beau livre sur l'imaginaire occidental des supplices orientaux et à Michaël Lachance qui m'a guidé vers la ténébreuse citation de Goethe. Enfin merci à Mylène Bouchard pour la minutieuse relecture, à Simon Philippe Turcot pour la confiance et les encouragements, et bien sûr à Stéfanie Tremblay pour sa présence et son soutien.

DU MÊME AUTEUR

L'Extincteur adoptif, Moult Éditions, 2015
Un long soir, La Peuplade, 2017

DANS LA MÊME COLLECTION
FICTIONS

APOSTOLIDES, Marianne, *Elle nage*, 2016
BACCELLI, Jérôme, *Aujourd'hui l'Abîme*, 2014
BOUCHARD, Mylène, *Ma guerre sera avec toi*, 2006
BOUCHARD, Mylène, *La garçonnière*, 2013
(1ère édition, 2009)
BOUCHARD, Mylène, *Ciel mon mari*, 2013
BOUCHARD, Mylène, *L'imparfaite amitié*, 2017
BOUCHARD, Sophie, *Cookie*, 2008
BOUCHARD, Sophie, *Les bouteilles*, 2010
BOUCHET, David, *Soleil*, 2015
CANTY, Daniel, *Wigrum*, 2011
CARON, Jean-François, *Nos échoueries*, 2010
CARON, Jean-François, *Rose Brouillard, le film*, 2012
CARON, Jean-François, *De bois debout*, 2017
DESCHÊNES, Marjolaine, *Fleurs au fusil*, 2013
DROUIN, Marisol, *Quai 31*, 2011
GUAY-POLIQUIN, Christian, *Le fil des kilomètres*, 2013
GUAY-POLIQUIN, Christian, *Le poids de la neige*, 2016
KAWCZAK, Paul, *Ténèbre*, 2020
LAVERDURE, Bertrand, *Bureau universel des copyrights*, 2011
LAVERDURE, Bertrand, *La chambre Neptune*, 2016

LEBLANC, Suzanne, *La maison à penser de P.*, 2010
LÉVEILLÉ, J.R., *Le soleil du lac qui se couche*, 2013
LÉVEILLÉ-TRUDEL, Juliana, *Nirliit*, 2015
MARCOUX-CHABOT, Gabriel, *La Scouine*, 2018
Mc CABE, Alexandre, *Chez la Reine*, 2014
Mc CABE, Alexandre, *Une vie neuve*, 2017
NASRALLAH, Dimitri, *Niko*, 2016
NASRALLAH, Dimitri, *Les Bleed*, 2018
SCALI, Dominique, *À la recherche de New Babylon*, 2015
TANNAHILL, Jordan, *Liminal*, 2019
THÉORET, France, *Les querelleurs,* 2018
TURCOT, Simon Philippe, *Le désordre des beaux jours,* 2007
VERREAULT, Mélissa, *Voyage léger*, 2011
VERREAULT, Mélissa, *Point d'équilibre*, 2012
VERREAULT, Mélissa, *L'angoisse du poisson rouge*, 2014
VERREAULT, Mélissa, *Les voies de la disparition*, 2016
VILLENEUVE, Mathieu, *Borealium tremens*, 2017

La Peuplade a été fondée
par Mylène Bouchard
& Simon Philippe Turcot.

Design graphique et mise en page
Atelier Mille Mille

Direction littéraire et édition
Mylène Bouchard

Révision linguistique
Pierrette Tostivint

Correction d'épreuves
Aimée Lévesque

•

Illustration en couverture
Stéphane Poirier

Ténèbre a été mis en page
en Lyon, caractère dessiné par Kai Bernau
en 2009 et en Din Next, caractère dessiné
par Akira Kobayashi en 2009.

Achevé d'imprimer en juin 2020
sur les presses de l'imprimerie Gauvin
à Gatineau (Québec, Canada)
pour les Éditions La Peuplade.